KB001965

달이 이끄는 이세계여행 12

아즈미 케이

제프
마족을 통솔하는 왕.
냉혹할 만큼 철저한
실력주의를 고수한다.
로나
권모술수에 뛰어난 마족
장군 중 한 사람.
마족이나 뿔이 없다.
사리
마왕의 『자식』 중 한 사람.
어린 나이에도 대국을 살필
줄 아는 판단력을 가졌다.

주요 등장인물
시키
본래는 「리치」라고 불리는 해골형의 언데드 몬스터. 마코토와 계약함으로써 사람의 모습이 되었다. 마코토의 의지할 수 있는 상담자.
미오
본래는 거대한 거미. 마코토와 계약해서 사람의 모습을 지니게 됐다. 천성적인 도발 고수.
토모에
본래는 「신(蜃)」이라고 불리는 용. 마코토와 계약함으로써 사람의 모습을 지니게 됐다.
미스미 마코토
부모 관련의 사연으로 이세계에 소환되어버린 비운의 고등학생. 어디에 가도 트러블에 휘말린다.

마족령
스텔라 요새
왕도 우르
제도 루이나
리미아 왕국
그리토니아
제국
학원 도시
롯츠갈드
아이온 왕국
로빈
보즈다
로렐
연방
츠이게
황금가도
나오이
끝의 황야
달이 이끄는
이세계여
세계지

1

"후유, 드디어 자유 시간이네. 너희는 뭐 할래?"

무척 정신이 지치는 마왕 폐하와의 회담을 마친 나— 미스미 마코토는 배정받은 방에 돌아와서 한숨을 돌렸다.

난 지금 쿠즈노하 상회의 대표 라이도우로서 종자 미오와 시키를 데리고 마족령에 방문해서 체류 중이다.

어휴, 아무튼 참 굉장했어. 진짜 마왕님이었지.

자녀분들도 네 명 모두 생글생글~ 분위기로 말을 나눠줬지만, 언제나 내가 대답하는 말 이상의 뭔가를 들여다보는 것 같았거든…….

그렇다고 딱히 일방적으로 질문 공세를 당한 게 아니라 우리 쪽 질문에는 대부분 순순히 대답해줬다.

외출도 호위, 감시인은 안 붙인다며 시원하게 허락해줬고.

"저는 잠시 나가서 로나와 이야기를 나눌 생각입니다."

지금 대답한 사람은 시키. 키가 크고 긴 붉은색 머리카락을 뒤로 묶어서 내린 근사한 청년의 모습이다.

"로나하고? 아, 맞다……. 시키랑 원래부터 알던 사이랬지."

"예. 딱히 옛정을 되새기자는 목적은 아닙니다. 보아하니 녀석은 저희를 불필요하게 경계하는 것 같더군요. 연회까지 아직 시간이 남아 있사오니 『오해』를 풀고 오겠습니다. 마왕에게 방금 전 회담의 내용은 이미 전달받았을 테니 행동은 빠른 게 좋겠지요."

오해? 로나가 의구심을 품을 행동은 딱히 안 했을 텐데.

음, 살짝은 싹이 보인다는 의미이려나.

"……그랬, 구나. 그럼 다른 데 외출은 안 하려고?"

"네, 다른 날에 천천히 다녀보겠습니다."

"미오는?"

"바로 거리에 나가 둘러보겠어요. 꽤 재미있고 맛있는 음식을 파는 가게가 몇 군데 있었답니다."

미오는 목소리가 벌써 들떴다.

환영 퍼레이드 중에 쭉 새침한 표정을 짓고 있었는데 은근슬쩍 주변 가게를 하나하나 살펴봤다는 게 굉장하다.

연극배우가 잔뜩 긴장되는 상황에 자주 「관객을 감자라고 생각해라」라는 말을 주고받는다던데 미오의 입장에서는 엄청 숫자가 많았던 마족, 아인들도 감자와 마찬가지…… 아니, 감자는 먹을거리니까 어쩌면 감자 이하였을지도 모르겠구나.

어느 쪽이든 저 유들유들한 성격은 본받고 싶다.

미오는 이번 출장을 꼭 같이 가겠다며 고집부렸었다.

저번에 제국을 방문했을 때는 미오가 아공(亞空)에 남아 일을 봐줬지. 그러니까 이번에는 자기가 동행할 차례라며 강하게 주장했잖아.

어휴, 어린애냐고.

그런 이유로 다른 한 명의 종자, 토모에는 아공에서 집 보기 담당이다.

토모에도 토모에대로 뭔가 제국에서 돌아온 이후 쭉 기분이 좋은 모습이라 미오의 말에 반론도 한 번 없이 집 보기 담당을 흔쾌히 맡아줬고.

하기야 따로 할 일이 있어서 원래 동행할 생각은 없었던 것 같지만.

나는 시키에게 두 번을 연달아 동행시켜서 조금 미안한 마음이다. 그래도 가장 안심하고 같이 다닐 수 있는 인재니까…… 자꾸 부탁하게 된단 말이지.

그나저나 시키 한 명이라도 남겨 놨으면 롯츠갈드에서 내가 담당하고 있는 강의를 굳이 휴강까지는 안 해도 괜찮았을 것 같다.

조금 반성해야겠어.

"맛집 탐방이구나. 밤에 연회를 열어준다니까 너무 많이 먹지는 마. 그리고 특히 저쪽에서 호위를 붙인다는 말은 못 들었는데 만약에 누가 따라붙어도 거친 대응은 자제하고."

"네, 명심할게요. 살짝 쓰다듬고 보내주겠어요. 혹시 많이 걱정되신다면 도련님께서도 같이 다녀주시겠어요?"

"나? 가고 싶기는 한데. 이왕이면 먼저 루토가 맡긴 심부름부터 끝내버리려고."

모험가 길드 마스터 자리에 있는 상위 용— 만색(万色)의 루토. 그 녀석에게 소소한 전달품을 받아 왔다.

"루토요……? 아, 예의 알 말씀이군요."

미오는 잠시 생각하는 시늉을 하다가 답을 떠올렸는지 톡 손을 마주쳤다.

"응, 정답. 홍리(紅璃)의 알이야."

"그렇군요. 그러면 저도 그쪽으로 같이 가도록—."

"아, 미오는 안 돼. 듣자 하니까 옛날에 미오가 살짝 「사고를 쳤던」 장소와 가깝다더라고. 괜히 말썽 생기면 안 되니까."

흑발의 미인인 미오도 나와 계약하기 전에는 재액이라고 불렸던 커다란 거미였잖아.

"옛날의 제가……."

"뭐, 금방 마치고 돌아올게. 아까 회담에서 잠깐 이야기를 들었는데 편도로 몇 시간도 안 걸리는 곳에 있다더라."

"분명 북쪽으로 며칠쯤 걸린다고 말했었지요. 저번에 다녀오신 백색의 모래 바다와 비슷한 곳이라면 도련님이야 몇 시간 안에 도착하실 테고, 돌아오실 때는 안개를 쓰면 충분하겠지요."

시키가 말을 거들어줬다.

저번과 달리 이번에는 수호자분들이 있다니까 그곳까지 배달하면 임무 완료다.

이번에는 루토가 상대 쪽에 직접 연락을 하고 마족에게는 특별히 이야기를 안 했다고 했지.

마족의 입장에서는 내가 그 장소에 가고 싶다고 말을 꺼낼 줄 예상하지 못했었는지 방문 계획을 알려주자 어리둥절하는 반응이었다.

뭐, 마족의 영내에 있는 지명을 외부에서 온 내가 언급하니까 꽤 의아했을 거야.

"그러면 어쩔 수 없네요. 유감이지만 오늘은 신규 레시피 획득에 힘쓰겠어요. 그리고 아공의 주민들에게 줄 선물도 뭔가 찾아볼까요?"

"그거 괜찮네. 맛있는 가게 찾으면 나중에 나한테도 가르쳐줘.

선물로 가져갈 만한 물건도."

"네! 맛집 탐방, 열심히 할게요."

"그래, 다녀올게."

방의 창문을 휙 열어서 베란다로 나갔다.

아래에 있는 정원은 환상적인 조명 장식으로 꾸며서 엄청 아름다웠다.

그래도 나는 아래가 아닌 위쪽을 바라본다.

새카만 하늘을.

"안녕히 다녀오십시오. 빨리 귀환하시길. 잡무를 끝내 두고 기다리겠습니다."

"감기 걸리지 않게 조심하세요."

두 사람의 등 뒤로 들으며 발코니처럼 넓은 공간이 있는 베란다를 박찼다. 공중에 마력을 굳히고 발판으로 써서 또 박찬다.

그렇게 어두운 하늘을 쭉 달려 올라가서 도시를 감싼 결계 바깥으로 나갔다.

주위는 전방위가 바람과 눈과 어둠이 지배하는 세계.

목적지가 있는 방향을 확인하고 저 멀리 표식을 하나 설치했다.

눈에는 안 보이지만 느껴진다.

이제 눈보라 속에서도 방향을 잃을 걱정은 없다.

방에는 귀환용 안개 문을 잘 만들어 놔서 준비도 미리 완료했다. 이쪽은 돌아온 다음 정리하면 된다.

자, 목적지는 빙원의 화산. 틀림없는 비경이다.

"청금석 화산인가. 역시 이름처럼 파란색이겠지? 아름다운 곳이어야 구경하는 재미도 있을 텐데."

살짝 기대감을 품으며 나는 눈보라 속에 뛰어들었다.

◇◆◇◆◇

마술이 없었다면 아마 확실하게 조난당했겠다는 생각이 드는 눈보라의 어둠 속.

이미 얼마 전까지 머물렀던 도시의 빛은 시야에서 완전히 사라졌다.

청금석 화산이라는 곳도 제국의 비경, 백색의 모래 바다와 비슷할 만큼 가혹한 환경이 틀림없다.

덥고 추운 차이는 있고, 저번에는 함정이 한가득에 여기는 자연이 맹위를 떨친다는 차이가 있기는 한데 아무튼 양쪽 다 터무니없는 곳이라는 생각이 든다.

그나저나 홍리라는 녀석은 불꽃을 관장하는 용이라면서 왜 이렇게 추운 곳에서 지내는 걸까.

화산이니까 실제 머무르는 곳은 안 추울지도 모르겠는데 바깥은 이런 꼴이잖아?

도무지 거주지와 이미지가 안 맞는다.

저번에 싸웠던 용살자 소피아가 홍리의 힘을 사용했었지. 그때 본 모습으로 상상하자면 홍리는 하늘을 날아다니며 불을 내뿜는 용일 텐데.

레이저 비슷한 열선? 화염선? 아무튼 쫙 내뱉는 화룡.

판타지의 상징으로도 꼽히는 드래곤, 왕도 중 왕도를 걷는 용이다.
레이저는 좀 많이 나갔지만, 진짜 레드 드래곤이야.
넓은 하늘을 날아다니는 웅장한 모습을 보고 싶다는 마음은 있다.
그런데 지금은 알이잖아.
힐끔, 자루를 본다.
혹시 드래곤이 빨리 성장하더라도 아마 내가 살아 있는 동안에는 볼 수 없겠지…….
소피아 녀석, 쓸데없이 사고만 쳤어.
“오오, 저건가?”
어렴풋하게 분홍색 아지랑이 비슷한 것이 시야에 들어왔다.
“거리를 생각하면……. 저기가 맞아. 그런데 새빨갛네?”
다시 몇 번인가 하늘을 박차며 나아가자 빙원에 어울리지 않는 새빨간 빛이 보였다.
가까이 다가갔더니 그곳에는 전체가 루비처럼 반짝거리는 유난히 높은 산이 있었다.
“이런 광경이면 청금석보다는 홍옥 화산 같은 이름이 더 어울릴 것 같은데……. 으응?”
적어도 명칭이 없는 지역은 아니지 싶다.
눈에 확 띄기도 하고 「심상치 않다는 느낌」이 든다.
아무튼 착지.
바닥도 빨갛게 반짝반짝 빛난다.
이게 전부 다 루비라면 굉장하겠다. 억만장자 확정이잖아.
대충 색깔만 비슷한 유리일지도 모르지만……. 아니, 그래도 굉장해.

응, 청금석 화산(가칭), 구경하는 재미는 충분하네.

나중에 조금 채취해볼까.

경험은 없지만 남쪽 바다에서 무심코 조개껍데기를 줍게 되는 사람의 마음이 이런 게 아닐까 싶어.

내 경우는 살짝 욕심이 동하기는 했다.

“여기가 정말 청금석 화산이라면 누군가 살고 있을 거야. 좀 볼까.”

『계(界)』를 탐색으로 전환해서 산 전체까지 범위를 쭉 넓혔다.

은폐가 풀림으로써 내 마력을 실체화시킨 마력체(魔力體)가 다소 가시화되기도 했고, 마력 자체도 새어 나갔지만 이 부분은 어쩔 수 없다.

아직은 100퍼센트 마력을 고정화하거나 아예 소모가 없이 순환시키는 건 무리니까. 그게 가능하면 영구 기관이잖아.

뭐, 목표로 두고 정진하기에는 나쁘지 않지만.

문제가 있기는 한데, 언제나 마력체를 가시 상태로 전개한다면 아마 다른 사람들이 나한테 못 다가온다는 것 정도.

뒤쪽에 유령 비슷한 인영을 달고 다니는 셈이니까 하루에 몇 번 「당신, 귀신 들렸어요」라는 말을 들을지 짐작도 못 하겠다.

귀찮을 게 뻔해. 절대로 싫다.

괜한 생각을 하며 주위를 살펴보다가 산 중턱에서 굴을 발견했다.

안쪽에는 백 명 살짝 못 미치는 생명 반응이 있었다.

아인이나 마물이겠네.

“찾았다. 저쪽에 있는 동굴이구나. 아하.”

좋아. 가보자.

특별히 함정은 없고 마물도 안 나온다.

이곳에 올 때까지 중간에 내가 부주의해서 덜컥 정면으로 상대해버렸던 큼지막한 프로스트 드래곤의 내려찍기를 제외하면 딱히 전투라고 할 만한 전투도 없이 대부분의 적을 뿌리치며 여기까지 왔다.

그래도 조우율을 따지면 사실 꽤 높았다.

전부 상대했다면 시체가 표식으로 남아 어디에서 어디로 이동했는지 알아볼 수 있을 만큼 자주 마주쳤어.

거기에 비교하면 오히려 여긴 안전하지.

수호자들이 나름 열심히 순회하며 안전을 확보하고 있는지도 모르겠다.

"어디 보자……. 흠."

굴이 있는 장소에 도착해서 특별히 주저하지도 않고 안쪽으로 들어갔다.

얼마 뒤 주변 광경이 달라졌다.

"아하, 이래서 청금석이구나."

주위를 보고 무심결에 말이 새어 나왔다.

"안쪽은 새파랗다는 게 신기하네……."

바깥은 빨갛고 안쪽은 온통 푸른색.

아름답지만 잠깐 관광이 한계다.

……유감스럽게도 주변 환경을 포함해서 여기에 살고 싶다는 생각은 안 들어.

"오, 마중 나왔나?"

조금 더 들어가다가 이쪽으로 접근하는 존재를 감지하고 걸음을 멈췄다.

한 명이다.

딱히 마술을 행사하고 있는 분위기도 아니고 공격 태세를 취한 모습도 아니었다.

그나저나, 파랗네.

온 주변에 네온사인이 번쩍이는 것 같아서 조금 불편하다.

파란색 빛은 편안한 잠을 도와주는 효과가 있다고 들은 기억이 나는데 조금 의문스럽다. 거짓말이었나?

"……이름을 알려주실 수 있겠습니까?"

눈앞에 나타난 저것은 나를 보고는 살짝 동요했다.

그럼에도 말을 꺼내며 자기소개를 요청했다.

놀랍게도 공통어를 써서.

"라이도우라고 합니다. 루토에게 의뢰를 받아 상위 용 홍리…… 님의 알을 가져왔습니다."

위험해라, 위험해라. 「님」 붙이는 걸 잊을 뻔했어.

그론트가 지내는 곳에 알을 가져다줬을 때 했던 실수를 교훈 삼아서 조금 더 신중하게 임하자고 생각했었는데.

나타난 사람(?)이 조금 신기해서 나도 모르게.

저 사람들을 한마디로 표현하다면, 슬라임?

푸른 젤 형태의 반고형물이 사람 형태를 띠고 있다.

머리 부분은 일단 얼굴과 비슷하게 울록볼록한 모양인데, 이게 참 뭐랄까…….

몸의 선으로 판단하자면 아마도 여성 같았다.

옷을 안 입고 있어서 지금 난 알몸의 여성과 대화 나누고 있는 셈이었는데, 건너편이 다 훤하게 비쳐 보이는 탓에 성적인 흥미는 전혀 솟아나지 않는다.

엄청 실례되는 의미로 『신사』 노릇이 가능했다.

설마 이 정도에는 욕정 안 하지. 상당한 변태가 아닌 한에야.

제국의 용사 토모키라도 아마……. 앗, 주변 사람들을 닥치는 대로 매료하는 그 녀석이라면 의외로 냅다 손을 뻗치려나?

……에이, 뭔 생각을 하는 거야.

아무튼 죄송합니다.

하나 더, 루토한테 받은 정보가 확실하다면 옛날에 미오가 저분들을 절멸 직전까지 몰아넣었다니까 그 문제도 포함해서 죄송합니다.

마음속으로 사죄를 반복하는 내게 슬라임 인간(가칭)이 질문을 꺼냈다.

"그쪽이 아즈마 님이십니까?"

아즈마?

그 말을 듣고 일순간 심장이 뛰어오르는 기분을 느꼈다.

그리운 이름이다. 같은 학년에 궁도부의 부장이었고, 그리고…….

단발머리가 잘 어울리는 여자아이의 얼굴이 머릿속에 떠오른다.

하지만 지금 꺼낸 이름이 설마 내가 아는 사람을 가리키는 말은 아니겠지.

마음을 가라앉혔다.

시선을 따라가자 슬라코 씨(가칭)은 알을 보고 있었다.

혹시…….

"……실례했습니다, 그쪽이 홍리 님이십니까?"

당황하는 내 반응을 알아차렸는지 말을 고쳐서 또 묻는다.

역시 용의 이름이었구나.

이름이 아즈마였어.

친한 지인이랑 똑같은 이름이라서 조금 친근감이 솟았다.

일본인과 만나기는커녕 이름만 들었는데도 이렇게 뭉클하게 반응하면 안 되는데.

애당초 이름은 똑같다지만 루토가 말하기를 이쪽 아즈마는 분명 남자랬잖아.

생각해보면 상위 용은 남자가 네 명(마리?)이고, 여자가 세 명이구나.

……아니, 잠깐만. 결국 루토는 **어느 쪽**이야? 지금은 남자인데 원래는 여자니까 여자가 더 많은 건가?

저번에 내 아이 어쩌고저쩌고 말을 했었고, 아마 여자도 될 수 있다는 점을 생각하면…….

응, 중간이라고 하자.

상위 용은 남자가 셋, 여자가 셋, 다른 한 명은 넘어갈래.

"저기…… 라이도우, 님?"

아차, 안 되지. 슬라임 인간이 걱정하는 눈치로 고개를 갸웃거리고 있다.

"앗! 네, 맞습니다. 홍리 님이에요! 죄송합니다, 잠깐 머리가 멍해져서요."

"피곤하신가 봅니다. 무리도 아니지요, 이곳까지 오는 길은 어떠한 경로도 가혹하니까요. 곧 휴식을 취할 수 있는 곳으로 안내해드릴 테니 우선은 알을…… 괜찮겠습니까?"

등에 멘 자루의 주둥이를 벌려 확인할 수 있게 보여주고 안에서 알을 꺼내 들었다.

알을 본 순간 슬라임 인간에게서 명백한 경외의 감정이 떠올랐다.

역시 수호자. 알이어도 알아보는구나.

"틀림없군요, 확인했습니다. 의문을 가진 실례를 용서해주십시오. 가시죠. 이곳부터는 저희가, 홍리 님의 수호자가 안내해드리겠습니다, 라이도우 님."

다행이다, 이번에는 아무 탈 없이 끝날 것 같아.

아, 맞다.

여기에 파란 돌이랑 바깥에 있는 붉은 광물을 조금 가져가도 되는지 이 사람들에게 물어보자.

또 루토한테 나에 대해서 어떻게 말을 들었는지도.

……변태의 수작에 호락호락 놀아날 생각은 없으니까.

나도 그론트 때처럼 무익한 전투는 사절이거든. 그론트 씨, 마지막에는 아마 꽤 주눅 들었잖아……. 미안한 짓을 했지.

스스로도 많이 느긋하다는 생각은 들지만, 조금씩이나마 앞으로 나아가야지.

두 번째 알 배달을 무사히 마친 뒤 약간의 안도와 함께 나는 비경의 경관을 만끽했다.

◇◆◇◆◇

생각했던 것보다 시간이 많이 지나갔다.

하마터면 슬라임 인간의 연회에 끌려가서 아예 숙박까지 하는 처지가 될 뻔했다고.

시간을 잊게 만드는 신비하고도 기묘한 광경에는 함정이 있었다.

이런 절경은 여유가 있을 때 봐야겠구나. 언젠가 시간을 내서 다 같이 오도록 하자.

마족의 연회에 늦진 않았지만, 예정보다 한 시간을 넘게 귀환이 지체되어버렸다.

난 지금 마족의 수도로 돌아온 뒤 배정받은 방에서 드워프제 예복으로 갈아입은 참이다.

최근 일상복 재킷을 입으면 안 되는 자리가 많아져서 파티라든가 행사에 참석하기 위한 의복을 만들어달라고 드워프에게 요청했다.

지금 돌이켜보면 어째서 오크에게 맡기지 않았던 걸까.

드워프한테 부탁한 시점에서 방어구의 성능도 들어갈 것을 뻔하게 예상할 수 있었는데 말이야.

그 결과 완성까지 상당한 시간을 필요로 했고, 급할 때마다 몇 번인가 상점에서 옷을 사기도 했다.

안 입는 옷가지가 지금은 전부 옷장에 잠들어 있다.

조금 아깝다.

"그러면 홍리의 알은 무사히 가져다주셨군요. 잘 마무리되어 다행입니다."

대기실의 의자에 앉아 편안한 모습으로 시키가 말했다.

미오는 아직 돌아오지 않았다.

마족 측에서는 당초에 우리 세 사람한테 각각 방을 준비해주겠다고 제안했지만, 서로 떨어지면 아공에 돌아갈 때라든가 이래저래 귀찮으니까 방 하나만 써도 괜찮다고 사양을 했다.

"아냐, 연회를 거절했으니까 조금 기분이 상했을지도 몰라."

"그 정도라면 딱히 상관없을 겁니다. 애당초 자신들이 숭앙하는 대상을 모시고 와준 은인인데 고작 연회를 거절했다고 안 좋은 마음을 갖지야 않겠지요."

"……그럼 다행이고. 나도 어쩌면 이번 한 번으로 끝이니까 계속 친하게 지낼 상대는 아니라는 생각을 해서 좀 대충 대했던 것 같기도…… 하네."

어쩐지 변명 비슷한 말이 입에서 나왔다.

"사실 이 주변에서 각각의 촌락을 이리저리 돌아보려면 숲도깨비들도 일꾼 노릇을 하기 버거울 겁니다. 조를 편성한다면 모를까 혼자서는 조금 위험할 듯싶군요. 그런 의미에서도 말씀하신 종족과 추후 관계가 깊어지기는 힘들겠습니다."

"안 그래도 일손이 부족한 형편이니까 숲도깨비한테 일감을 더 얹어줄 생각은 없어. 만약 이 도시에 상회를 차려 물품을 들여오더라도……. 시키나 토모에한테 관리를 맡기고, 기껏해야 한 달에 몇 번 오는 정도가 아니려나? 물론 가게는 안 차리는 게 좋겠지만."

"온갖 수단을 써서 마족은 출점을 요청할 테지만 말입니다……."

"그때는 정중하게 거절할 거야."

"그게 무난하겠습니다. 그나저나 오늘 자리 배정에 대해 말씀을 드려야겠습니다."

"자리 배정? 아, 좌석표 말이구나. 어디 보자……."

"저희는 이곳이군요."

시키는 우리가 앉을 위치를 가리켰다.

"아…… 으음? 마왕하고 꽤 가깝네. 이게 일단은 환영해준다는 뜻인가?"

또 뭔가 협상을 시도하려는 걸까. 마족에게 가담은 못 하겠다고 분명히 말로 전달했는데……. 애당초 자리 배정표도 순수하게 자기 자리를 확인하는 목적 이외의 다른 관점을 나는 모른단 말야. 은근슬쩍 무슨 의미를 담아 놨는지 전혀 못 알아본다.

"환영의 수준으로 말씀드리자면 상당히 높습니다. 틀림없이 국빈으로 대우하려는 의도가 있군요."

"구, 국빈……. 우리는 고작해야 상인인데 국가의 중요한 손님이야?"

"저쪽도 말은 안 하겠습니다만, 아마도 맞을 겁니다. 마왕 제프도 여간내기는 아니군요. 도련님께 무엇인가를 감지했을 겁니다."

"무시무시한 인사 지옥이 덮쳐들까?"

벌써부터 위가 아팠다.

롯츠갈드의 학원제 때도 꽤 버겁고 힘들었단 말이야.

"아니요, 반대로 조용할지도 모릅니다. 자리의 배치를 보면 마왕과의 환담이 우선되는 모양새니까요. 가령 대화에 끼어들더라도 측근으로 둔 장군이나 저번 회담에 동석했던 인물 몇몇뿐이겠지요."

시키의 말에서 위화감을 느꼈다.

마족의 장군은 어쨌든 간에 동석했던 사람이라면 즉 마왕의 자녀분들이잖아?

그럼 더 정확한 다른 호칭이 있는 것 같은데.

"동석했던 인물이라니, 시키……. 마왕의 자녀분이니까 왕자님, 왕녀님이잖아?"

……으음. 마족의 장군에다가 왕자님, 왕녀님인가.

충분히 부담되는데.

아무리 사근사근하게 친절하게 웃어줘도 사람에 따라 웃는 얼굴조차 압박감을 준다는 걸 이해해줬으면 싶다.

저 사람들이 전부 알면서 하는 짓이라면 견딜 수밖에 없겠지만 말이야.

내가 웃지 말아달라고 타박을 놓을 순 없잖아.

"으음? 아, 그렇군요. 도련님께서는 아마 모르셨겠습니다."

"응? 뭘?"

자리표의 의도도 포함해서, 시키는 이것저것 많이 아니까 정말 큰 도움이 된다.

"마족은 다음 대 왕을 능력으로 선발합니다. 선출 과정에서 권력 같은 요소도 영향을 끼칠지도 모르겠습니다만, 결과를 보면 뛰어난 실력을 가진 인물이어야 마왕이 될 수 있지요."

"응."

"이 같은 차기 마왕 후보를 마족들은 마왕의 자식이라고 부릅니다."

"……응? 그게 왕자님, 왕녀님이랑 뭐가 다른데?"

형제자매 사이에 파벌이 생기더라도 결국 실력을 중시한다는 말이잖아.

"이런, 죄송합니다. 설명이 부족했습니다. 혈통과 전혀 무관계하게 모아 둔 수백 명의 유망한 아이가 마왕의 자리에 오르기 위한 제왕학을 교육받습니다. 그렇게 모인 아이들이 전부 『마왕의 자식』이지요. 다음 대 마왕은 그중에서 선발됩니다."

……엥? 그럼 요컨대.

"그 자리에 있던 사람들, 마왕의 친자식이 아니었어?"

"네 명까지 좁혀진 상황이니 다음 심사에서 마왕이 결정될지도 모르겠습니다. 물론 왕이 되지 못한 나머지 세 사람에게도 적합한 직위가 주어질 테고, 다음 세대의 마족을 왕과 더불어 선도하는 역할을 담당합니다."

굉장하네. 혈통은 전혀 상관없구나.

유망하면 어릴 때부터 가족의 곁을 떠나 마왕의 자식이 되어 수련하는 건가…….

당연히 우수한 인재가 많이 자라나겠지.

많이 자라나겠지만……. 그렇게까지 해야 되냐는 생각도 든다.

힘만 있다면, 재능만 있다면 가정도 당사자의 사정도 무시할 수 있다— 이렇게 말하는 것 같아서 거부감도 들었다.

"진짜 철저하게 능력주의구나, 마족은."

"예, 생존을 위하여 달리 방법이 없었다고 하더라도, 분명 극단적이군요."

"아무리 성과를 거둘 수 있더라도……. 아공에는, 도저히 받아들이고 싶지 않은 사고방식이야.”

“……마족은 마족. 아공(저희)은 아공입니다, 도련님.”

“그러게.”

시키의 말에 진지하게 고개를 끄덕여줬다.

“도련님! 안내인이 왔답니다!”

불쑥 울려 퍼지는 여성의 목소리.

“미오, 어서 와. 안내인이 왔다고? 아슬아슬했네. 좀 빨리 돌아오지.”

“잔뜩 즐기고 왔거든요. 전부 계산한 대로예요.”

통금까지 아직 1분 남았다!

이런 대사를 말할 것 같아.

……나도 꽤 비슷한 성격이었으니까 그립네.

“……그래그래. 슬슬 나가자.”

“““네.”””

전철에 뛰어 올라타는 사람처럼 직전에 돌아온 미오의 말처럼, 곧 안내인이 왔다.

우리 중에선 미오가 가장 여행을 즐기고 있구나.

연회장의 구조가 입식 형식이 아닌 덕분에 부담감을 많이 덜었다.

분위기는 결혼식의 피로연 비슷하려나?

격식은 좀 차렸지만 밝은 느낌의 연회였다.

물론 신랑 신부는 없지만.

가끔 춤이나 기예와 같은 공연을 보여주는 여흥이 있기도 했고, 연회용으로 엄청 큼지막한 요리를 내와서 나눠 준 덕분에 미오도 시키도 즐거워하는 모습이다.

예상보다 신경 쓸 일이 적어서 나도 충분히 즐겁고.

마족의 배려에 감사해야겠지.

다만 마왕과 자녀분들의 시선은 꽤 자주 느껴졌다.

주최자로서 손님의 기분을 살피는 것은 당연하니까 어쩔 수 없다는 생각은 드는데도 저 시선 때문에 약간의 긴장은 계속 유지됐다.

마왕도 사사건건 말을 붙이려 하고.

다만 연회장에 있는 다른 사람들은 — 아마 마족 중 귀족이나 군대의 높은 사람들은 — 쳐다볼 때는 있어도 말을 걸어오지는 않았다. 호기심과 호의, 당혹감에…… 아주 약간의 적대감. 시선의 종류도 다양했다.

대강 시키의 예측이 맞아떨어졌어.

꽤 거리가 멀기 때문이더라도 이런 상황은 솔직히 기뻐.

다만 소소하게 트러블도 있었다.

우리가 막 자리에 앉았을 때.

마족의 네 장군이 모인 테이블에서 느닷없이 한 사람이 벌떡 일어나더니 미오를 응시하며 부들부들 떨다가 아무런 말도 못한 채 금방 거품을 물고 뒤쪽으로 털써덕 쓰러졌다.

켈류네온 요새의 수비를 맡았던 레프트 장군이다.

뭐, 저 사람은 하반신이 뱀이니까 일어섰다는 표현이 과연 적절한지는……. 앗, 쓸데없는 소리는 됐고. 쭈~욱~ 온몸이 뻗는 모양새로……. 응. 역시 쓸데없는 소리야.

아무튼 미오한테 실컷 날벼락을 맞아서 유아 퇴행을 해버렸던 사람이지만, 얼마 전 신님 일행이 아공을 방문했을 때 아테나 님이 치료도 해주시고 기억도 지워주셨다……. 분명히.

"뭐랄까……. 기억은 사라져도 깊이 달라붙은 트라우마는 남아 있었나 봐."

마음이 미처 공포를 닦아 내지 못해서 아직껏 바닥에 남아 있었는데 게다가 그냥 울렁증 정도의 트라우마가 아니라 중증의 PTSD였단 말이지.

"……그런가 봅니다. 조금 놀랐습니다."

"실례예요. 손님 얼굴을 보고 거품을 뿜다니요."

웃음을 꾹 참는 시키를 보고 미오가 입술을 삐죽거렸다.

"……신도 만능은 아니라는 증거야, 응."

당연히 잠시 장내가 시끄러워졌다.

진상을 아는 사람은 우리뿐.

정작 레프트 본인도 이유를 모르잖아.

기억이 안 남으면 딱히 신경 쓸 필요도 없겠다고 대강 매듭지었던 지난 행동을 마음속으로 레프트 씨한테 사과했다.

따라서 장군들의 테이블에는 세 명밖에 없었다.

팔 네 개 달린 거인 이오와 뿔 없는 여장군 로나. 정신없이 식사에 열중하고 있는 사람은 처음 보는데 네 명의 장군들 중 마지막 한 명이겠지.

외모는 휴만과 비슷하다.

아마 아인인 것 같은데 무력 자체는 썩 대단하지 않은 분위기야.

그럼 로나처럼 책략을 쓰는 타입이 또 있다는 의미인가.

으음, 좀 싫은데.

"기분 푸십시오, 미오 님. 정성껏 만든 요리를 이렇게 많이 내오고 있잖습니까. 저흰 열렬히 환대를 받는 중입니다."

"……그건 기쁘답니다? 하지만 손님 대접은 음식이 다는 아니잖아요? 제 어디가 졸도할 만큼 괴물 같다는 건가요."

레프트의 반응에 불만이 많은 미오를 시키가 달래준다.

방금 전 장면만 잘라서 보면 미오의 불퉁거리는 반응도 지당하겠지만, 본인이 먼저 저지른 행동까지 생각하면 슬리퍼로 머리를 때려가며 따져야 할 상황이었다.

물론 아마 그 다음은 레프트를 마족의 땅에 도로 데려다 놓은 사람이 누구였냐고 내가 추궁을 당할 테니까 더 이상은 노코멘트.

"라이도우 공. 어떠한가? 오늘 밤 연회석은. 언뜻 보기에 즐거워하는 것 같아 혼자서 기뻐했네만."

살짝 토라진 미오를 신경 써서인지 마왕이 내게 말을 걸어왔다.

"네, 멋진 자리를 마련해주셔서 감사합니다. 저희도 충분히 즐기고 있습니다."

"종자분들은 무언가 다른 생각이 있는 듯한데……."

"아뇨, 레프트 공의 안부가 염려된다는 이야기를 잠깐 나눴을 뿐입니다. 저기, 지금은 어떠신지 용태를 여쭤도 될까요?"

"음, 레프트의 상태 때문에 마음을 써주셨는가……. 아니, 면목

이 없군. 무슨 악몽을 꾸는지 아직껏 가위에 눌려 신음한다는 보고를 받았네만, 다행히 생명에는 지장이 없다는군. 너무 걱정해주지 않으셔도 된다네."

아, 어떡하지.

뭔가 이야기를 나누는 김에 은근슬쩍 켈류네온 관련 사건에 대해 털어놓을 생각이었는데 레프트가 벌인 소동도 있어서 도무지 말을 못 꺼내겠어.

어째서 그날, 하필이면 그때 켈류네온에 있었을까, 레프트 녀석.

"……."

으, 마왕이 뭔가 이쪽을 쳐다보네.

동료가 되고 싶다는 듯이— 이게 아니라 뭔가 꾸미는 듯 푸근한 웃음을 짓고.

착각이라 생각하고 싶은데 경험상 이건 무언가 있는 웃음이다.

"아, 아하하. 다행히 중병은 아니라니까, 으음, 안심했습니다. 네."

웃으려는데 자꾸 얼굴이 실룩인다.

"그렇지, 이다음 메인 요리가 나올 때까지 아직 시간이 더 걸릴 걸세. 라이도우 공만 괜찮다면 잠시…… 자리를 옮기도록 할까."

"자리를 옮긴다면, 어디로 가나요?"

"바로 옆이라네. 발코니를 꾸며 놓았지. 다소 급하게 술을 들이켜서 말일세, 잠시 밤바람을 쐬고 싶은 마음이군."

그렇게 말한 뒤 마왕은 힐끔 창밖을 쳐다봤다.

발코니구나.

뭐, 이상한 데 아니잖아.

시키를 바라보자 살짝 고개를 끄덕이며 동의해줬다.

괜찮은가 봐.

“알겠습니다. 기꺼이 동행하겠습니다. 저도 얼굴이 조금 화끈거렸거든요.”

“좋군. 성에서 보는 야경이 또 아름답다네. 그래 봐야 1년의 대부분이 밤이지만 말이지, 이 도시는. 하하핫!!”

마왕의 권유에 따라 자리에서 일어난다.

—앗. 살짝 휘청거렸어.

달콤한 맛이든 쓴 맛이든 마족의 술은 대체로 꽤 도수가 높고 센 종류가 많았다. 추운 지역이기 때문이려나.

이쪽의 술에 익숙해지면 롯츠갈드의 물에 희석한 술을 주문해 봤자 술맛이 안 날지도 모르겠다. 주스같이 느껴질 것 같아.

저쪽 유행은 증류주에 과즙이나 과일 시럽을 더한 칵테일이니까.

술맛은 잘 모르겠는데 나름 맛있다.

마술로 술기운을 싹 걷어내면 당장에 멀쩡해지겠지만, 모처럼 기분 좋게 취했으니까 좀 아깝지.

심하게 취한 것도 아니니까 마왕의 뒤를 따라서 발코니로 나왔다.

그곳에는 아무도 없이 나하고 마왕 단둘뿐.

뒤쪽에서 문 닫히는 소리가 나자 연회장의 시끌벅적 분위기도 불쑥 멀찍이 느껴지는 기분이었다.

불어오는 바람은 너무 강하지도 너무 약하지도 않아서 약간 화끈해진 뺨에 닿으니 기분이 좋았다.

“어떠한가? 도시의 야경은.”

"아름답네요. 조금 흐릿하지만 가지각색의 불빛이 어쩐지 푸근하게 느껴집니다."

"푸근하게? 음. 후후후. 마족에게서는 절대로 들을 수 없는 감상이군. 신선해."

마왕은 재미있어하며 웃었다.

많은 감정이 배어나는 웃음이었다.

언뜻 보기에 마왕은 썩 많이 취한 모습이 아니다. 술을 깨자는 말은 나를 데리고 나오려는 구실이었겠지.

"저 같은 사람의 말에 웃어주신다면야."

"……다시 한 번, 가령 돌아가는 날에 똑같은 풍경을 보고 감상을 들려주게나."

"……네에."

"내일과 모레, 라이도우 공은 마족을 보고 다니며 아울러 우리를 이해해주면 좋겠군. 바라건대 좋은 측면은 물론 안 좋은 측면까지도."

본인들이 만든 사회의 장점도 단점도 보여주겠다는 의미이려나.

그리고 마지막에 어떻게 느꼈는지를 듣고 싶다. 아마도 이런 뜻이겠지.

"마족분들의 살아가는 힘과 지혜로 가득 찬 훌륭한 도시라고 생각합니다."

"그런가……. 사실 말일세. 딱히 속이려는 것은 아니었네만, 이곳은 수도의 기능을 가진 도시가 아니라네."

"예?"

"정확하게는, 다른 곳에 자리를 넘겨주었지."
"수도를 옮기셨다는 말씀인가요?"
"맞네. 생각해보게. 많은 영토를 얻은 마족이 이토록 가혹한 곳에 있는 수도를 계속 유지할 필요는 없지 않겠나?"
……맞는 말이다.
마족이 현재 획득한 영토에 대한 정보는 엘리시온 이북이야 꽤 애매하기도 하고, 휴만에게는 지도도 없는 관계로 나는 잘 몰랐지만.
적어도 이곳보다는 살 만한 환경의 땅이 있을 거야.
"네. 옳은 말씀입니다."
"그래. 실제 지금은 바닷가에 접하여 항구를 보유하고 있는 대도시를 건설하여 그곳으로 수도의 기능을 옮긴 뒤 나라의 중심으로 삼았다네. 짐도 보통은 그곳에서 지내지."
항구가 있다? 그러면 왜 우리는 눈보라 속을 며칠이나 걸어야 했던 거야. 달리 이동이 편한 장소가 있다면 그쪽이 더 괜찮지 않았을까.
……엄청나게 먼 곳이라거나?
"그러면 어찌하여 굳이 이곳으로 불렀는지 궁금하다는 눈치군?"
내 마음속을 꿰뚫어 보는 것 같은 마왕의 질문.
"으음, 네……. 조금요."
어떻게 머릿속 생각을 알아챈 걸까.
표정에 드러나나?
가능한 한 감정을 드러내지 않도록 항상 조심하는데.
"라이도우 공이 굳이 어렵게 감정을 지우고자 하는 까닭이라네.

뜻을 읽히고 싶지 않다면 감정은 지우는 것이 아니라 숨겨야 하지. 무리하게 억압하면 오히려 어색하니."

"그, 그런 건가요."

"방금 전 짐이 즐거운가 물었을 때도 마찬가지네. 얼굴에 대강 웃음만 지으면 그만이었어. 무표정을 고수하고자 애쓸 필요는 없네. 무엇보다 자연스럽게, 능숙하게 웃을 수 있도록 연습하게나. 그리하면 어지간한 속내는 숨겨지며 겉치레도 능숙해질 테지. 이것은 배워서 익힐 수 있는 기술일세."

"감사, 합니다."

어쩌다가 마왕한테 이렇게 교육을 받게 된 걸까.

아무튼 잘 웃는 게 중요하구나.

말은 쉽게 하는데 이게 무척 어렵거든.

상황에 따라서는 대책 없이 얼굴이 실룩거리기도 하고. 더 정진해야겠다. 배워서 익힐 수 있다, 즉 재능이 아니라 노력으로 습득할 수 있는 기술이라잖아.

"무얼, 말 몇 마디야 가르침도 못 되지. 빚이라 여기지도 않네. 아, 도시의 이야기를 하던 도중이었군. 이 도시는 말일세, 우리의 역사로 가득 찬 곳이라네. 또한 오래도록 마족의 전부였던 장소이기도 하지. 그래서 더더욱 라이도우 공에게 마족이라는 종족을 보여드리자면 필히 이 도시여야 한다고 생각했지. 굳이 험난한 길을 걸어오게 한 것은 이 때문이라네."

"역사……."

"그래, 역사일세. 지금도 이곳에서 만들어진 많은 관습이 우리의 안에 살아 있으니까.”

“……예를 들자면, 자녀분들의 처우일까요?”

시키에게 들었던 말이 떠올라서 질문해봤다.

피가 이어지지 않았더라도 우수한 인재라면 왕 후보로 대우해준댔지.

“……누군가에게 말을 들었나 보군. 그렇다네. 왕을 결정하는 방법도 이곳에서 만들어졌다는 기록이 있지. 입이 가벼운 부하가 있었던가. 난처하군.”

“아뇨, 제 종자가 우연히 들어서 알고 있었습니다.”

정말로 입이 가벼운 사람이 있을지도 모르겠지만, 시키한테도 미오한테도 비슷한 말은 아직 못 들었다.

일단 범인(?)이 아닌 다른 수많은 부류에 속할 입이 무거운 부하분들을 위해서 해명했다.

“오호…… 박식하군. 그런가. 라이도우 공에게는 마족의 관습을 아는 부하가 있었는가. 허허, 놀랍군.”

전혀 놀랐다는 느낌은 안 든다.

시키의 역량도 이미 파악한 걸까. 시키가 랄바라는 이름의 리치였던 무렵에는 로나와 적잖이 관계가 있었니까 뭔가 보고를 받았을 가능성은 높겠다.

“그냥, 우연입니다.”

“그렇다 해도, 놀랍다네. 내일부터 보여드리게 될 몇몇 관습도 어쩌면 이미 알고 있을지도 모르겠군. 아직껏 마족 중에는 휴만 사회의 모습을 아는 인물이 적지. 지식이 있는 부류는 주로 군부에 속한 자가 전부라네. 그렇게 생각하자면 상인 신분으로 이토록 깊은 지식을 갖춘 것은 마땅히 칭찬받아야 할 테지. 참으로 좋은 부하를 두셨군."

"민망하네요."

"……이 변하지 않는 어둠 속에서 마족은 오랜 세월에 걸쳐 고난을 감내해왔네. 다만 영원히 끝나지 않는 고초를 어찌하란 말인가. 이대로 가면 언젠가 마족은 멸망할 터. 그 점을 깨달았을 때부터 우리는 힘을 비축하며 때를 기다렸지. 그리고 짐이 전쟁을 일으켰어. 왕으로서…… 내린 결단을 후회하지는 않아."

내가 대답하고 잠시 침묵이 지나간 뒤 마왕은 먼 곳을 가만히 바라보며, 다만 확실하게 나를 대상으로 저 말을 꺼냈다.

그렇게 느껴졌다.

"설령 명백히 타인의 소유였을지라도 마족에게는 풍족한 땅이 필요했네. 가만히 있다가는 우리는 영원히 고통 받고 굶주리다가 머지않아 죽었을 테니. 라이도우 공, 혹여 자네가 이 같은 종족의 왕이 되었다면 어찌 행동했겠는가? 유희에 지나지 않는 질문이겠으나 꼭 대답을 듣고 싶군."

도저히 단순한 농담이라는 생각은 안 드는 얼굴로 마왕은 나를 바라봤다.

아마도 뭔가를 회고하며 나한테 이렇게 물어봤을 거야.

이 도시는……. 마족에게 정말 큰 의미가 있는 도시라는 생각이 든다.

일본인한테 교토 비슷한 곳이려나.

아니, 수도를 옮긴 지 겨우 몇 년밖에 안 지났잖아. 똑같이 비교는 안 되겠네.

나는 솔직히 상상할 수 없는 심정이지만…….

"저라면, 말인가요. 저라면……. 다른 사람의 소유물에 손대기 전에 새로운 땅을 찾아볼 것 같습니다."

"미답지를 찾아 나서겠다는 말인가. 하면 그것이 절망적일 때는?"

으엑~ 고민해서 대답했는데 도로 되묻기야?

"어째서 절망적인가요?"

"지리상 나머지 다른 곳은 더욱더 열악한 땅뿐이라네. 기술 때문에 넘어갈 수 없는 지형이 있어 더 이상은 나아갈 경로까지 막혀버린 걸세."

"그러면 기술을 연구해야겠죠."

"오호라. 라이도우 공은 끝까지 전쟁은 피하고 싶은 생각이신가."

"전쟁은 확실하게 화근을 남기니까요. 나중에 볼 손해를 감안하면 결국 이득이 되지 못합니다."

"물론 지당한 말일세. 다만 마족은 너무나 절박하게 궁지에 몰린 처지였지. 더 이상 북방의 개척도 불가능하다 판단했을 때 우리는 원주민이었던 아인을 멸하여 이 땅을 가졌네."

……아.

기껏 빼앗기로 결정한 곳이 여기야?!

대체 얼마나 비참한 곳에서 생활했던 거야, 마족은.

여신도 여신이다.

변함없이 지독한 녀석이야.

언젠가 꼭 따귀를 한 대 날려주겠어. 진짜 진지하게 다짐했다.

"그, 그랬었나요."

"맞네. 아울러 화근은 남기지 않았지."

"어, 하지만……."

전쟁에서 화근을 남기지 않는 기적이 대체 어떻게 가능한 거야.

"몰살했네. 전부 죽이면 원한이 남지 않아. 어리석은 계책이었다는 생각은 하고 있네만, 당시에는 종족을 구한 방법이었지."

철저하구나. 원한까지 죽였던 거야.

적을 한 명도 남김없이 죽이면 분명 원한을 가질 사람도 못 남지. 하지만…….

"……."

"누구에게 묻냐에 따라 대답은 달라지겠지만, 마족의 근본에는 많든 적든 힘의 이치가 살아 있다네. 꾸밈없이 말하자면 요컨대 약육강식의 논리이지. 가능한 한 자네에게 이 같은 부분은 보여주고 싶지 않네만, 앞으로도 쭉 관계를 지속하겠다면 어차피 알 것은 빨리 알수록 좋을 터. 그렇게 생각하였네. 이곳에 머무르는 동안 힘의 이치에 따른 관습이며 말썽을 빈번히 보게 될 테니."

그만큼 진지하게 우리를 맞아들였다는 뜻이려나.

하긴 자신의 추한 부분은 보여주기 싫은 게 보통이니까.

……응, 무섭잖아.

"다만 조금은 의외군. 짐이 받았던 느낌으로 라이도우 공은 상당한 힘을 가지고 있을 터. 한데 휴만은 본래 개인이 이렇게까지 강대한 힘을 가지는 종족은 아닐세. 즉 라이도우 공은 상당한 수련을 쌓았을 걸세. 그러한 인물은 왕왕 힘 있는 자가 더 많은 자유와 권리를 갖는다는 사고방식에 관대한 법이네만. 솔직히 이토록 완강하게 전쟁을 기피할 줄은 예상하지 못했군."

"전쟁을 피하고 싶은 마음이 이상한 건 아닐 텐데요."

"자네들 상인에게는 하극상의 기회이기도 하며 무엇보다 큰돈을 벌 기회이지 않은가?"

"저는…… 전쟁으로 돈벌이하고 싶진 않습니다."

"글쎄……. 하지만 지난 회담에서는 「전쟁으로 돈을 벌 텐데 불평하지 마라」라는 취지의 발언을 했다 기억하네만?"

그런 소리를…… 했던 기억은 없는데 무엇 때문에 이렇게 해석한 거야?

아, 혹시?

마족이랑 입장상 대립하더라도 진짜 적대하려는 게 아니라 이익이 어쩌고저쩌고했던 이야기? 그치만 딱히 전쟁으로 돈 벌겠다는 의도가 아니었어.

"아니요, 오해십니다. 저는 전쟁 자체에 참가하고 싶은 생각은 전혀 없으니까요."

"로나가 골머리를 앓더군. 이전에 들은 이야기와 달리 라이도우 공은 전쟁으로 사업을 할 작정이냐며 말일세."

"그런 게 아니라요—."

"되었네. 자네에게 들은 대답이면 충분하니까. 라이도우 공의 말처럼 로나의 오해일 테지. 아직 우리가 서로를 이해하기 위한 시간은 있네. 짐은 조금씩이나마 가까이 다가갈 수 있기를 바랄 뿐이야. 너무 급하지 않게 말일세."

"감사합니다."

내 말에 손을 들어서 제지하며 마왕은 납득해줬다.

괜히 엇갈리지 않아서 다행이었다.

진짜로 오해니까.

…….

맞아, 지금이라면 주위에 아무도 없어. 나랑 마왕뿐.

저쪽이 마왕뿐이고 이쪽은 시키와 미오가 같이 있을 때가 최고겠지만, 현실적으로 생각해서 임금님 상대로 바라기는 어려운 상황이다.

말이 안 통하는 사람은 아닌 것 같고, 마족이 땅을 빼앗은 행위에도 아무 생각이 없지는 않은 것 같아.

그렇다면…….

'시키, 잠깐 괜찮아?'

시키에게 염화(念話)를 날렸다.

'도련님? 마왕과 대화 나누고 계시겠지요? 뭔가 문제가 있습니까?'

'아니, 그런 건 아니야. 있잖아, 켈류네온 이야기, 지금 털어놔도 될까? 왠지 말해도 괜찮은 분위기라서.'

'……음. 그렇군요. 아마 저희와 마왕만 있는 상황에서 이야기를 나눌 기회는 앞으로도 만들기 어려울 겁니다. 지금이라면 자리를 준비하는 데 빗질 필요도 없지요. 다만 설명하실 때 겨우 살아남은 안스랜드 자매를 위해서라거나 아공 관련의 이야기 등은 안 하셔야 대화도 빨리 마무리되지 싶습니다.'

'응? 그러면 켈류네온에 손을 댄 이유가 우리 부모님밖에 없는데, 이게 더 이상하지 않아? 에바랑 루리아의 사정은 짧게 언급하는 게 좋을 텐데…….'

'그 부분을 말씀하시면 휴만에게 가담하여 켈류네온을 되찾았다고 해석이 나옵니다. 뒤집어 말하자면 마족에 대한 적대지요. 저희는 결과적으로 리미아에서도 용사를 구한 전적이 있는 만큼 이 이상 휴만의 편을 들어준다는 인상은 주지 않는 것이 **서로를 위해** 좋습니다.'

'그, 그렇구나.'

잘 생각하면 맞는 말이었다.

어디까지나 결과만 보고 말하자면 우리 행동은 마족보다 휴만에게 더 도움이 된 셈이니까.

비록 의도는 전혀 없었더라도 이런 상황에서 휴만의 부탁을 받아 켈류네온을 되찾았다는 말까지 꺼낸다면……. 큰일 나겠네.

응, 큰일 난다.

'그러면 아예 도련님 부모님의 고향이었다는 이유로 탈환했다고 단정 지어야 얻는 것도 많아지겠지요. 마족에게도 도련님의 부모님께서 켈류네온 출신이라는 정보를 하나 넘겨주는 셈입니다. 이 같은 사실을 녀석들이 어떻게 취급하든 간에 저희는 딱히 알려져서 난처한 정보가 아니니까요.'

'알았어. 그럼 그렇게 할게. 고마워.'

분명 앞으로도 켈류네온에는 제법 도움을 주게 될 거야. 그때마다 매사에 이상하게 억측을 당하면 귀찮겠지. 그럼 시키의 제안이

나한테는 최선이구나.

'아뇨, 별것 아닙니다. 그리고 슬슬 장군들과 다른 참가자들이 그쪽을 신경 쓰기 시작했습니다. 적당히 마무리되면 돌아와주십시오. 아차, 말씀드리는 것을 잊었군요. 레프트의 문제도 있습니다. 적어도 도련님 본인께서 직접 켈류네온에 쳐들어가지는 않았다고……. 그렇군요. 부하들이 도련님을 더욱 잘 위하려다가 폭주했다는 방향으로 설명하시는 것이 좋겠습니다. 나중에 저나 미오 님이 추궁을 당한다면 그때는 저희가 적절히 대처하지요.'

'고마워. 그럼 이 이야기를 마치면 돌아갈게.'

염화를 끊었다.

마왕은 염화를 눈치채지 못했다.

잘 숨겼으니까, 아마도.

마왕은 난간에 손을 얹은 채 야경을 바라보고 있다.

"……훗. 안 되겠군, 조금 이야기에 열중해버렸어. 손님을 계속 밤바람 부는 곳에 놓아두다니 배려가 부족했네. 돌아가세나, 라이도우 공. 귀한 시간을 내주어 고마웠네."

"저기, 폐하. ……꼭 말씀드려야 할 이야기가 있습니다. 잠시만 더 시간을 주실 수 있을까요?"

"먼저 불러낸 사람은 짐일세. 라이도우 공에게 할 이야기가 있다면 물론 경청해야지."

"얼마 전 마족은 어느 영토를 잃어버렸지요?"

"……음! 맞네. 라이도우 공을 비롯한 방문단과 만나기로 한 장소와 가까운 곳, 과거에 켈류네온이라는 이름의 나라였던 곳이지."

마왕의 표정이 이제껏 봤던 가장 큰 놀라움으로 물들었다.

좋아, 이야기하자.

"그거, 저희 쪽에서 한 일입니다."

"음?! ……라이도우 공, 그것이 어떤 의미인지 알고서 하는 발언인가?"

마왕은 날카롭게 눈매를 좁히며 이제껏 친근하게 대하던 분위기를 단숨에 내던지고 되묻는다.

괜찮아. 이야기할 내용은 머릿속에서 잘 정리해 놨어.

기죽지 마라.

특히 켈류네온 관련의 문제는 확실하게 나한테 책임이 있다.

도망치지 않을 거야.

"네. 저희 쿠즈노하 상회가 켈류네온을 마족의 손에서 탈환했습니다."

"……이유를 묻지. 당연히 있을 터이지? 휴만을 위함이라는 답은 안 나오기를 짐은 기대하겠네."

"……저 자신을 위해서입니다."

"라이도우 공 자신을 위해?"

마주 본 마족의 왕은 순간적으로 눈동자에 떠오른 험악한 빛을 지우고, 대신 의아한 표정을 지어 보였다.

"네. 켈류네온은…… 제 부모님의 고향입니다. 과거에 부모님은 그곳에서 맺어지셨죠. 저에게 켈류네온은 제2의 고향이라고도 말할 수 있는 곳입니다."

"……."

"음, 다만 처음에는 저도 이미 마족령의 한복판에 있는 켈류네온을 탈환하려는 생각은 하지 않았는데요. 뜻밖에……."

"……뜻밖에?"

"부하들이, 저를 위해서라는 마음으로 덜컥 그 땅을 여러분의 손에서 되찾아 와버렸습니다. 그리고 부하들이 선물로 준 켈류네온을 저는 받았지요."

"부하라면 자네가 데리고 온 두 사람, 미오와 시키가 한 행동인가? 아니면 달리 관여한 자가 더 있는가?"

나를 꿰뚫어 보는 예리한 눈과 목소리. 다만 적의는 안 느껴졌다.

그래서 오히려 더 무시무시해.

이 사람은 내게 어렵다고 말했던 방법으로 감정을 숨기는 거다.

아무 감정도 상기시키지 않는 무표정으로 단지 내게 묻고 있다.

"말씀 드릴 수 없습니다. 쿠즈노하 상회의 인물이 행동했고, 성과를 제가 받은 이상은 누가 관여했든 간에 책임도 제게 있습니다. 저는 힘을 써서 켈류네온을…… 빼앗았습니다."

"……크크. 힘의 이치에 따라 말인가? 분명 마족의 기본적인 사상이네만……. 허허, 이러한 장소에서 털어놓을 내용은 아니군, 틀림없이. 명색이 마족의 장군 중 하나가 있던 영토를, 게다가 세력권 한복판에 있었던 땅을, 아무리 간과할 수 없는 힘을 보유했더라도 상회가 단독으로 탈환했단 말인가. 미안하네. 도저히 혼란이 수습되질 않아. 그나저나, 우선 한 가지 질문하고 싶군. 레프트는 어째서 놓아주었나?"

"그분이 마족의 장군이라는 사실은 나중에야 알았습니다. 부상을 당한 상태여서 저희 쪽에서 치료한 뒤 마족의 땅에 돌려드렸지요. 기억에 문제가 있는 이유는 잘 모르겠습니다만."

"장군이었기 때문이란 말인가. 켈류네온과 레프트라면 짐은 레프트를 선택하겠네. 그런 의미에서는 자네들에게 고맙다는 말을 해야 되겠군?"

의미심장하게 웃음을 지은 뒤 마왕은 마치 달관한 듯 묘한 표정에 엷은 미소를 띠고 있었다.

"아뇨, 천만에요……."

"아무튼 난처하군. 이래서야 오늘은 잠을 못 이루겠어. 제법 술을 마신지라 오랜만에 기분이 좋았는데 말일세."

"……."

"이야기가 끝났다면…… 이제는 정말 돌아가세나, 라이도우 공."

마왕은 그렇게 말한 뒤 발길을 돌렸다.

"폐하, 이 이야기는."

"다른 누군가에게 전하지 말라 바라겠다면 무리임을 말해주겠네. 짐 또한 아직껏 미처 실감을 못 하는 처지이니까. 게다가 개인이 감당할 만한 사건은 아닐세. 뭐, 애당초 왕을 개인으로 간주할 수 있느냐는 문제부터 거론해야겠지."

선수를 빼앗겼다.

역시 마왕의 가슴속에만 담아 두기를 바라기는 염치가 좀 없었던 건가.

하지만 바로 입을 다물면 멋이 없기도 하고…….

"아뇨. 폐하의 인품을 겪어보고 제 의지로 말씀드렸습니다. 단지 이 말을 전해드리고 싶었을 뿐입니다."

"좋은 평가는 고맙게 받아들이도록 하지. 자, 들어가게."

마왕이 직접 문을 열어서 나를 실내로 다시 맞아들인다.

"감사합니다."

원래 자리로 돌아온 나를 따뜻한 공기가 감싸주었고, 또한 대량의 요리가 맞이해줬다.

사정을 아는 시키는 나에게 고생 많았다는 얼굴로 살짝 고개를 끄덕거렸다. 그리고 미오는 만면에 미소를 띠고 요리의 감상이며 추천하는 메뉴를 들려준다.

자, 잘했어. 전부 말했다.

오늘은 이제 먹다가 잠만 자면 되니까 괜찮겠지만, 내일도 이런 식이면 몸이 못 버틸 것 같은데…….

2

꿈이다.

이제 분위기로 알 수 있었다.

마족이 연 연회에서 대접받은 뒤에 우리는 배정된 방에 돌아왔다.

그다음은 문을 잠그고 아공으로 돌아가서 쉬었던 기억이 분명하게 있다.

도저히 더 이상은 다른 무언가를 할 기력이 없었기 때문에 돌아오자마자 방에서 뻗었다.

저번에 꾼 것은 아저씨가 된 자신이 아마 사막을 만들었다는 내용의 꿈.

그 전에는…… 분명 히비키 선배를 거의 죽일 뻔했던 꿈.

전자레인지 어쩌고저쩌고, 그거 토모키였던가?

응, 큰일 났네. 뭔가 뒤죽박죽이 되어버렸어.

괴상한 방식으로 계를 썼다거나 사막의 풍경이라거나 등장한 사람이라거나. 어렴풋이 기억은 하고 있는데 다른 부분은 상당히 애매하다.

꿈이야 원래 잠깐만 신경을 안 써도 희미해지니까 어쩔 수 없겠지만, 요즘 들어서 꾸게 된 일련의 꿈은 뭔가 암시하는 것 같아서 자꾸 마음에 걸린단 말이지.

이게 벌써 세 번째이고.

깨어나면 토모에한테 보존해달라고 부탁해야겠다.

그건 그렇고…… 이상하게 안개가 짙다.

누가 연기라도 피워 놓은 것 같아.

나는, 아니, 꿈속의 「나」는 어디에 있는 걸까.

문득 궁금해져서 찾아보던 중.

「나」를 발견했다.

"……."

저번처럼 아저씨는 아니구나. 다만 나보다는 확실하게 나이를 많이 먹었어.

게다가 엄청나게 절박한 표정을 짓고 있다.

나는…… 이런 표정을 지은 경험이 있었던가.

그곳에는 공원에 보통 놓아두는 벤치 하나가 툭 놓여 있었다.

다른 건 아무것도 안 보였다.

어차피 꿈이니까 이런 말 하기는 좀 이상한데 전혀 현실감이 없는 장소였다.

게다가 나 이외에 아무도 없다는 게 마음에 걸린다.

"이렇게 단둘이 이야기하는 게 얼마 만인지 모르겠습니다, 도련님."

어?

목소리가 들려서 깜짝 놀랐다.

분명 아무도 없었는데 내가 묵묵히 앉아 있었던 벤치에 어느새 인영이 하나.

"……토모에."

그 사람은 꿈속의「나」가 말한 대로 토모에였다.

아하, 이 이상한 곳은 토모에가 미리 준비한 장소였나?

꿈에 토모에가 나온 건 처음이다. 아니, 이제껏 종자나 아공의 주민들과 전혀 못 만났었다.

"그러한 얼굴은……. 아뇨, 제가 꺼내도 될 말은 아니었습니다."

"네가 원흉이니까 말이지."

"예."

"토모에……. 난 말이다."

말투가 역시.

저번에도 분명히 무슨 꿈에서「나」는 살짝 사나이 말투를 쓰기 시작했었지.

으음.

나 자신인데도— 아니, 나 자신이라서 위화감이 더욱 굉장하다.

"도련님, 더 이상은 말씀하지 말아주십시오."

"아직 아무런 말도 안 했다."

"들으나 마나지요. 사과라도 할 생각이셨을 텐데, 괜한 짓입니다."

"……마지막까지 너는 못 당하는구나……."

응?

마지막?

"제가 바라서 한 일입니다. 최소한 저는 후회하지 않습니다. 전혀요."

"……."

"훗, 도련님과 계약했을 때부터 전생을 못 하게 될 것은 각오를 이미 마쳤었지요. 게다가 「저쪽」에는 미오도 있습니다. 그 녀석 또한 도련님만은 못합니다만, 같이 지내자면 심심할 일은 없을 겁니다."

"조금 더…… 내가 더 많이 강했다면, 이렇게 되지 않았을 거라 생각하나?"

"……아니요. 도련님께서 여신을 압도할 만한 힘을 가지셨더라도 이 결과가 과연 바뀌었을지는 장담을 할 수 없겠지요. 어느 누구일지라도."

"다만 적어도 용사 두 사람과 미오를 맞바꾸는 꼴사나운 짓은 안 했을 테지."

이게 또 무슨 소리야.

미오가 이제 없다고……. 여기에 있는 「나」는 그렇게 말한 건가?

토모에 말고도 미오도 있는데, 그렇지만 **이미 없다고**.

"하오나 여신이 더 빨리 나타났을지도 모릅니다. 그랬다면 미오는 물론 그곳에서 도련님까지도 죽지 않았겠습니까."

"그렇다 해도!"

"모든 사건은 이미 일어나버렸습니다, 도련님. 도련님께서는 스스로 나아갈 길을 결정하셨습니다. 저희는 명에 따랐지요. 그렇게 신과 싸워서 지금 이때를 맞이했습니다. 하지만, 방금 전에도 말씀드렸잖습니까. 제게는— 아뇨, 미오에게도 후회는 전혀 없습니다. 도련님과 만나지 않았더라면…… 그따위 괘씸한 생각은 티끌만큼도 하지 않습니다."

토모에의 평온한 목소리.

"……."

"진정 즐거웠습니다. 충족되지 못한 채 영원한 시간에서 허우적대는 삶보다 훨씬 더. 그러니 도련님께서도 앞을 바라보며 스스로의 길을 나아가십시오. 고뇌는 이곳에서 제가 모두 다 맡아 두겠습니다. 그리고 언젠가 도련님께서 구천을 찾아오는 그날 돌려드리지요."

"나의 길 말인가."

"예. 저 또한 전부를 달관한 것은 아니온지라 잘난 척하며 말씀드릴 수 있는 입장은 못 됩니다만."

"이런 방법으로 나와 이야기를 나눌 수 있는 너도 번민한다는 말인가?"

이런 방법으로?

뭐지. 묘하게 불길한 느낌이 스멀거린다. 말 한마디 한마디에서 상상하고 싶지 않은 결말이 얼굴을 내비치고 있다.

"……예. 혹시 바라신다면 들려드릴까요? 다만 약속해주십시오. 결코, 더 이상은 저희에게 미련을 갖느라 머뭇거리지 않겠노라고."

"치사하구나, 토모에는. 네게 시대극이나 일본 문화 취미 이외에 고민이 있다는 말을 듣는다면 내가 궁금해할 것을 뻔히 알고서 이렇게 말하는 거지. ……알겠다, 앞으로 나아가겠어. 이제는 얼마 안 남았으니까. 꼭대기까지 올라가서 본 광경의 이야기를 너희와 다시 만났을 때 선물로 들려주겠어."

고개를 숙인 「나」의 입가에 웃음이 떠오른다.

입꼬리를 끌어 올려서 만든 힘겨운 웃음.

다만 난 어쩐지 저게 진짜 마음에서 우러나온 웃음이라는 것을 알 수 있었다.

"그러시다면야……. 도련님께서 나아갈 길을 다짐한 이후부터 저는 빈번히 한 가지 생각을 떠올리고는 했습니다. 만약에. 만약에 저와 미오 이외에도 곁에서 도련님을 도울 누군가가 있었다면 좋았을 텐데, 그러한 아쉬움에서 말입니다."

"종자를 말하는 건가? 하지만 너와 미오 이외에 종자라니."

"저도 미오도 독점욕을 좀 많이 드러내지 않았나 싶습니다. 비록 동등하게 총애를 베풀어주셨습니다만, 그런 까닭에 종자가 늘어나는 데는 부정적이었겠지요."

"……너희 이외에 다른 종자라니. 나는 상상이 안 돼. 굳이 찾아보자면 제프라거나? 그리고 세파인가……. 루토? 음, 후보를 꼽으면 이 정도인가?"

"제프 말입니까? 녀석은 괜찮았을지도 모르겠습니다. 음, 남자라면 저희도 별반 신경을 쓰지 않았을 테지요."

"세 번째 종자라니. 또 터무니없는 말을 꺼내는군, 이 녀석."

「나」는 은근히 진지하게 쓴웃음을 지었다.

아니, 시키는?

혹시 시키는…… 없나?

"세 명이든 네 명이든 상관없겠습니다만. 뭐, 이렇듯 쓸데없는 생각을 하며 고민했던 시기도 있었습니다. 이게 전부입니다."

"너 같은 녀석도, 만약을…… 생각하며 아쉬움을 갖는구나. 조금 안심되는군."

토모에는 일순간 씁쓸하게 미소를 지었다가 입을 열었다.

"도련님, 이제 작별할 때입니다. 만에 하나를 생각해서 이렇듯 준비를 해 놓았습니다만, 저 따위의 잔류 사념이나마 작은 도움이 되어 기뻤습니다."

"토모에……!"

와, 와아…….

눈앞에서 펼쳐지는 충격의 광경.

토모에와 「나」는 키스를 했다.

게다가 전혀 처음이라는 느낌이 안 들어.

아주 익숙하게. 입술과 얼굴, 게다가 서로의 손과 몸까지 뒤얽어서.

믿기지 않는다.

이제껏 겪은 가장 큰 놀라움이야…….

토모에랑, 키스?

믿음직한 녀석이라는 생각은 드는데 형님 타입이라서 딱히 여자로…… 보진 않는다.

아니, 물론 외모는 아름다운 여성이 맞지만 말야.

"읏, 실수를 용서해주십시오. 몸도 남김없이 날아가버렸는데 무심코 이런 행동을."

몸도 남김없이.

역시, 이곳에 있는 토모에는.

키스의 충격도 제법 컸지만, 더욱 무겁고 싸늘한 감정이 배 속에 고여 있음을 느낀다.

먹먹하다.

토모에는 아름답게 웃고는 주위를 둘러싼 짙은 안개에 섞여 들어가듯이, 혹은 모래가 바람에 날려 흩어지듯이.

사라졌다.

웃기지 마.

토모에도, 미오도!

여신이든 뭐든 감히 죽이게 둘까 보냐!

이 자식, 「너」는 도대체 뭘 어떻게 한 거야!

무슨 멍청한 길을 선택해서 두 사람을 잃어버렸어!

시키는?! 시키는 어디 갔어!

제길, 대화를 이해하기 어려운 만큼 더더욱 감정이 수습되지 않는다. 자꾸자꾸 의문이 흘러넘친다.

혼자가 된 「나」는 벤치에서 일어났고, 그 행동에 따라 주위가 변화했다.

점점 옅어지던 안개가 「나」를 중심으로 소용돌이치며 걷힌다.

어라? 여기는…….

"마코토 공, 들어가겠네."

눈에 익은 방, 귀에 익은 목소리.

목소리의 주인은 방 중앙에 우두커니 서 있는 나의 대답을 기다리지 않고 안으로 들어왔다.

역시나.

얼굴을 본 나는 그렇게 생각했다.

마왕 제프.

"제프 씨."

"토모에 공은, 유감스럽군. 그럼에도 굳이 한마디 말을 전하러—."

"이제 괜찮아. 막 방금 전까지 토모에한테 설교 들었거든."

후련한 얼굴로 「나」는 마왕에게 웃음 지었다.

「제프 씨」라니. 꽤 친한 느낌이다.

"……토모에 공에게?"

"맞아, 정말이지 걱정이 많은 녀석이야. 죽은 다음에도 설교를 하러 오다니."

"……."

"그래, 준비는?"

"만전이네. 마코토 공을 기다리고 있을 뿐이지, 우리는."

"그런가. 제프 씨는 참아줬지만, 보아하니 루리아와 사리가 시끄럽겠어."

"마코토 공의 입장에서는 어쩔 수 없는 일이지. 받아들일 수밖에 없지 않겠나."

알겠다. 이 꿈에서 「나」는 마족의 편에 들어갔구나.

그런 내용의 꿈이야.

"남의 일이라 생각하고."

"사실 남의 일이니까. 이제야 무거운 짐을 내려놓았어. 조금은 날개를 펴고 나아갈 수 있겠군."

제프 폐하는 나와 만났던 때보다 훨씬 젊어 보였다.

아니, 외모는 딱히 안 달라진 것 같은데 왠지 분위기가.

"뭐, 마음은 알아. 어쨌든 날개를 펴려면 일 하나는 먼저 끝내야겠지."

"훗, 잘 알고 있다네. 자, 방을 나가면 격식 차려서 행동해주게, 마코토 공. 우선은 병력을 북돋아주어야 하니."

제프 폐하가 방문을 열고 「나」를 기다린다.

「나」도 저 말에 따라서 걸음을 디뎌 복도로 나왔다.

천장을 보고 「나」는 깊숙이 숨을 들이마셨다가 내뱉었다.

"가지, 제프. 장군다운 큰 활약을 기대하겠다."

"분부대로. 새로 등극하신 마왕께 제 신명을 바치겠습니다."

"적은 여신이다. 각오는 됐나?"

"물론입니다. 마족으로 태어나야 했던 그때부터."

마왕.

「나」는 마족의 편에 들어가서 마왕 자리까지 치고 올라간 건가.

그뿐 아니라 여신의 앞에 나서는 단계 같아.

이 녀석은 나보다 훨씬 더 많이 전진했다.

다만…… 토모에와 미오를 희생해서.

이를 악물었다.

굳게 마음을 다잡아 토모에의 유언대로 충실하게 앞을 주시하며 걸어가는 「나」의 모습과 표정을 보며.

자신이 분노를 느끼고 있음이 느껴졌다.

그때.

세계가 삐거덕댔다.

두 사람이 복도를 걷는 풍경에 가늘게 균열이 생겼다.

유리를 맞대어 문지르는 듯한 섬뜩한 소리가 가속을 받아 점점 더 커다래진다.

꿈은, 끝났다.

가위눌리다가 일어난 것도, 꿈에서 쫓겨난 것도 아니고.

나는 차분하게 눈을 떴다.

언제나와 같이 심야다.

초목도 잠드는 어쩌고저쩌고.

웃기지 마라.

이건 예지몽이 아니야.

현실의 나하곤 걸어 나아가는 길이 명백하게 다르니까.

하지만…….

마족에 협력한다면 저 꿈과 가까운 사건이 발생할 수 있다는 가능성을 살짝 보여준 게 아닐까.

요즘 들어서 꾸게 된 꿈은 단순한 꿈이 아니다. 점점 더 확신이 든다.

토모에.

저 녀석에게 내 꿈을 기록해달라고 하자.

기억은 시간에 따라 흐릿해지는 게 아니라 단지 사람이 잊었을 뿐— 본인이 한 말이다.

그렇다면 저번 꿈도 포함해서 전부 꼼꼼히 재생시키면 검증할 수 있다.

……진짜로 웃기지도 않아.

딱히 마왕이 되고 싶지도 않고, 토모에와 미오를 잃는다는 생각은 아예 떠올리고 싶지도 않다.

고작 여신을 때려눕히자는 목표 때문에 누군가를 잃는 건 절대 사절이라고.

도대체가 말이야.

이제는 좀 희미해진 저번 꿈 두 개를 포함해서 찝찝한 요소가 너무 많잖아!

해피엔드는 어디에 갔냐?!

토모에한테 염화를 날렸다.

오늘 밤만큼은 자는 중이어도 깨워야겠다.

'도련님? 쉬고 계시는 게 아니셨습니까?'

'깨어 있었구나. 잠깐 상담하고 싶은 게 있거든. 지금 괜찮아?'

당연히 자는 줄 알았는데 이런 시간까지 뭘 하는 걸까?

'알겠습니다. 제가 방으로 찾아뵙지요.'

'아냐, 내가 갈게. 방에 있어?'

딱히 쓸쓸하다는 이유는 아니지만.

어째선지 토모에의 얼굴을 보고 싶었다.

'아니요, 바깥입니다. 저택의 오른편 숲에 나왔습니다.'

'알았어.'

토모에한테 물어 확인한 곳으로 간다.

숲이라. 나도 활을 당길 때 가끔씩 가는 곳인데 거기에서 토모에는 거의 못 봤다.

별로 먼 거리는 아니라서 곧 숲에 도착했다.

"토모에, 뭐 하고 있었어?"

"물론 수련을 했지요. 음, 수수께끼 문제를 푸는 중이었습니다."

"수수께끼 문제?"

토모에는 한 그루 나무 앞쪽에 서 있었다.

카타나의 자루에 손을 얹은 채 몸을 살짝 낮춰서 자세를 잡고 있다.

카타나를 뽑기 전 자세라는 것은 알겠다.

그런데 나무와의 거리가 부자연스러울 만큼 과하게 가까웠다.

칼자루 끝 장식이 줄기에 닿았어.

저래서는 애당초 안 뽑히잖아.

신종 명상법인가?

"이 자세에서 발도를 하는 게 수련이 된다더군요."

"발도? 딱 붙었는데 어떻게? 억지로 뽑아 봤자 나무에 자루가 닿아 막히지 않아?"

"예, 몇 번인가 나무를 쓰러뜨려버렸습니다. 아쉽게도 정답이 아니었나 봅니다.”

그야 정답이 아니겠지.

보통 억지로 뽑으려다가 나무가 쓰러지지는 않을 테니까.

그냥 황당한 장면 아닐까.

“누구한테 들은 수련법이야?”

“왕국의 용사…… 히비키가 가르쳐주었습니다. 카타나를 다루기 위한 기본이라고도 말하더군요.”

“그럼 기억을 보면 알 수 있지 않을까?”

“도련님, 그래서는 수련의 의미가 반감되지 않겠습니까.”

“이상한 데서 고지식하구나. 뭐, 나는 좋아하지만.”

“어쨌든 카타나 수련인지라 일단 즐거워서 말입니다, 별 고생은 아닙니다. 오늘은 안 되더라도 내일, 내일이 안 되더라도 모레를 기약하며 매일 애쓰고 있지요. 음, 다만 오늘은 슬슬 마무리를 지을 생각이었습니다만, 도련님께서 염화를 보내주셔서 잠시 더 시간을 내었습니다. 아무튼…… 제게 볼일이 있으시다고요?”

땀을 닦고 만족스러운 얼굴로 웃는 토모에.

윽.

꿈에서 본 토모에의 웃는 얼굴을 떠올렸다.

멈춰, 그건 꿈이야.

현실이 아니란 말야.

그래, 절대 현실로 만들지 않아.

그러기 위해 토모에를 만나러 왔잖아.

“잠깐만 꿈을 조사해주면 좋겠어. 꿈도 기억에 속한 현상이니까 조사할 수 있지?"

"물론입니다. 최근에 꾸신 꿈입니까?"

"맞아. 지난 열흘쯤 사이였어. 며칠인가 내가 아공에 쉰 날이 있었잖아. 그때 위주로 부탁할게."

"예, 잠시 실례하지요. 들여다보겠습니다."

"쓸데없는 건 보지 말고."

"명심하겠습니다."

토모에의 손이 내 이마에 닿았다.

후유…….

아무튼 일단 안심이다. 어쩌면 뭔가 중요한 조짐이었는지도 몰라.

토모에는 눈을 감고서 내 기억을 살피고 있다.

그나저나, 칼자루를 나무에 대서 발도를 한단 말이지.

나한테 거합의 첫걸음을 가르쳐줬던 곰 선생님— 아니, 이시도 선생님은 저런 거 가르쳐주지 않았는데.

……단순히 내가 배울 단계까지 못 갔을 뿐인가.

소질이 별로 안 좋았잖아.

히비키 선배한테 들었다고 토모에가 말했는데 잘 생각해보니까 검도에는 발도 관련의 연습법이 딱히 없지 않았나?

선배는 혹시 검술도 따로 배웠던 걸까.

점점 더 흉악한 인물이란 게 드러나는군. 그러면.

"……도련님."

"아, 끝났어?"

내가 딴생각을 하는 동안에 토모에도 작업을 마쳤나 보다.

좋아, 곧바로 살펴보자.

“사흘쯤, 별다른 꿈을 안 꾸신 밤이 있었습니다만……. 그 이외의 날은 특별히 묘한 꿈은 없더군요?”

“엥?”

“모두 다 아공에서 쉬셨던 날이었습니다. 그날은 꿈을 꾸지도 않을 만큼 깊이 잠드셨던 게 아니온지요?”

“아니야, 그럴 리가. 으음, 히비키 선배와 만난 날……. 그리고 제국에 갔던 첫날에, 맞아. 게다가 오늘, 지금 막 꿈을 꾸다가 나온 참인데…….”

“딱히 없군요. 대체 어떠한 꿈을 꾸셨기에?”

“뭔가, 내가 선배를 거의 죽이려 든다거나 나라를 사막으로 만들거나 마왕이 돼서, 그게…… 토모에와 미오는 이미 죽은 뒤였고.”

“……분명 무언가 암시적인 꿈이군요.”

“정말 못 찾았어? 내 기억에 있는 꿈이야.”

“예. 전혀요.”

진짜 기가 막힌다. 분명히 기억하고 있는 꿈인 데다가 지금 이렇게 내용도 말할 수 있단 말이야.

기억은 잘 나는데도 들여다보지 못하는 꿈이라니……. 점점 더 평범한 꿈이 아니라는 생각이 들기 시작했다.

어쨌든 토모에도 거짓말을 한다거나 숨기는 분위기는 아니거든.

대체 어떻게 된 거야?

“……알았어. 미안, 토모에. 늦은 시간에 불쑥 부탁이나 하고.”

“아뇨, 전혀 문제없습니다. 도련님, 원하신다면 몇 번이든 조사를 해보겠습니다."

"아냐, 밀어서 안 되니— 당겨보자는 건 아니지만 방에 돌아가서 기억하고 있는 내용부터 최대한 적어 놔야겠어. 어쩌면 나중에 또 부탁할 테니까 그때 잘 살펴봐줘."

"힘이 되어드리지 못하여 면목 없습니다. 다만, 도련님."

"응?"

"저희는 쉽게 죽지 않습니다. 도련님의 종자이니까요. 그 부분은 아무쪼록 신뢰해주시면 좋겠습니다."

"……응. 고마워, 잘 자."

"예, 안녕히 주무십시오. 저도…… 앗! 밀어서 안 된다면…… 당긴다?"

"응? 토모에?"

"서, 설마! 그런 뜻이었나?! 으음, 빛이 보이는군!!"

같이 저택으로 돌아갈 거라 생각했는데 토모에는 아까 수련인지 뭔질 한다던 나무를 향해 갑자기 달려갔다.

"……토모에~ 여보세요~?"

"도련님!!"

"왜? 안 자게?"

"안 잡니다! 역시 도련님은 뭔가 좀 다르시군요!! 으음, 시험을 할 가치가 있어!! 죄송합니다, 도련님. 함께 귀가할 생각이었습니다만, 역시 조금 더 수련에 힘쓰도록 하겠습니다!!"

토모에는 눈이 반짝반짝 빛나서 도저히 잠을 잘 분위기가 아니었다.

"그, 그래. 알았어. 먼저 쉴게."

"안녕히 주무십시오!!"

뭐, 싫은 호들갑은 아니니까 가만 놔둘까.

나도 꿈의 내용을 기록으로 남겨 두고 싶으니까.

저번에 두 번은 조금 애매한데 이번에 꾼 꿈은 아직 괜찮아, 아마.

좋아, 방으로 돌아가자.

밤.

마족에게 환대를 받은 쿠즈노하 상회 일행은 배정된 방까지 정중하게 배웅받았다.

매일 빠듯하게 일정이 짜여 있다지만, 오늘 남은 시간은 전부 휴식이다.

그러나 지금 방에 있는 인물은 미오 한 명뿐이었다.

마코토는 아공에 돌아갔고, 시키는 주인 대신에 연회 이후의 연장전에 초대를 받아 마족을 상대하러 곧 방에서 나갔다.

미오는 방을 둘러보며 수상한 장치가 없음을 확인한 뒤 만족스럽게 고개를 끄덕였다.

마족의 나라. 더 정확하게 마족의 사상은 미오에게도 기분 좋게 다가왔다.

강자에 대한 외경.

이 같은 원칙 하나가 순수하게 존재할 뿐인데도 미오가 무엇보다 중요시하는 도련님— 마코토를 대우하는 태도가 무척 달라졌기 때문이다.

물론 본심을 말하자면 마족의 대응마저도 아직 충분치 못하다고 미오는 느끼고 있다. 그럼에도 휴만이나 그들의 사회에서 살아가는 아인들이 보내는 시선이나 대우와 비교하자면 상당히 나은 편인지라 무의식중에 작게 웃음을 짓게 될 만큼 좋은 평가를 내릴 수 있었다.

"외모나 자신들의 상식만 갖고 도련님을 낮추어 보는 멍청이들보다는 바람직하죠."

예외는 있을지언정 기본적으로 미오는 휴만을 싫어한다.

약한 주제에 속한 무리의 크기만으로 자신이 강대한 존재인 양 착각하는 천박한 사고. 더욱이 여신에게 총애를 받는다는 이유만으로 자신들이야말로 세계의 맹주 위치에 있는 종족인 양 자만하는 단순함.

무엇보다 미오가 사랑해 마지않는 주인, 마코토를 부당하게 낮춰 평가하기 때문이었다.

"외모 따위에 도대체 무슨 가치가 있단 말이죠. 게다가 상인이라는 지위는 도련님께는 단순한 위장막에 불과해요. 아뇨, 상인 직업을 자처하는 것 자체가 휴만 녀석들의 사회에 대한 배려인데요. 표면적인 모습으로 우열을 정하여 그분을 상처 입히다니 정말로 구제 불능이야……."

마코토의 손짓 한 번이면 어떤 인물이든 본인이 소중하게 여기는 사람이며 재산마저 모든 저항이 무의미하게 모조리 싹 날아가버릴 텐데. 고작 상대의 외모가 자신들의 가치관에서 뒤떨어진다는 이유 때문에, 아울러 상대가 온순하게 잠자코 있다는 이유 때문에 낮추어 봐도 상관없다는 생각을 어떻게 할 수 있단 말인가.

마코토는 한마디 명령만 하면 재물은 물론 나라마저도 손에 넣을 수 있는데도 불구하고 어째서 굳이 타인을 배려해야 할 필요가 있는 것인가. 거대한 코끼리가 개미의 삶에서 무엇을 배울 수 있을까.

의미가 없다.

필요가 없다.

미오는 가끔 이러한 생각을 한다.

그렇다면 이 같은 교훈을 마음씨 고운 주인님께 꾸지람 듣지 않고서 멍청이들에게 가르칠 방법은 없을까 하고.

"하지만 이곳은 다릅니다. 마왕부터 힘의 이치를 제대로 이해하고 있기 때문인지 많은 인물이 저에게도 도련님께도 마땅히 표시해야 할 예의를 알고 있지요."

미오는 연회 전 맛집 탐방을 하던 때를 떠올렸다.

이미 퍼레이드로 얼굴이 알려지게 된 미오는 가는 곳 도처에서 경의 가득한 대접을 받을 수 있었다.

시키에게 말을 들었던 얼음 요리를 먹었을 때도 식사를 마친 미오가 말을 꺼내기 전에 가게의 책임자가 직접 자리에 와 인사를 했고, 몇 가지 질문을 하자 요리사까지 불러 대답해줬다.

조리 방법, 소재를 조달하는 장소 등 여러 질문에 싫은 내색도 한 번 안 하고 알려줬더랬지.

그들의 행동거지는 미오가 요리를 막 배우려 했던 츠이게에서 겪은 경험과 비슷했는데 처음 방문한 도시에서 동등한 대접을 받았다는 것에 미오는 감탄했다.

예컨대 학원 도시 롯츠갈드 같은 곳에서는 조리 방법을 가르쳐주지 않거나 퉁명스러운 표정을 짓는 등 처음 온 손님에 대한 대응으로 이상할 것은 없다지만 불쾌감을 느낀 경우도 많았기 때문이다. 변이체 소동 이후에는 저런 인물들의 태도에도 변화가 나타났지만.

"그렇다 해도 역시 모든 주민이 바뀌었다고 할 수는 없죠. 끝까지 쓸데없이 경계를 하는 자들도 일정 숫자는 있으니까요. 녀석이 잘 처리해주면 좋을 텐데요……. 매사에 너무 관대하니까 불안해요."

시키를 「녀석」이라 부르며 작게 탄식하는 미오.

마족 중에도 몇 사람, 미오가 봤을 때 거슬리는 존재는 있다. 위협적이라는 뜻이 아니라 짜증 난다는 의미에서다.

이쪽을 정탐하기 위하여 직접 마코토와 대화하고 싶은 듯했지만, 시키가 대리인 역할을 맡아 나섰다. 미오의 눈빛에서 분위기를 파악한 뒤, 시키가 자처해서 나선 셈이다.

"후유……. 도련님은 아공에 돌아가셨고, 저도 요리의 메모만 마무리하면 쉬도록 할까요. 도련님 앞에서 하품을 하는 점잖지 못한 행동은 피하고 싶으니까요."

일순간 시키의 귀환을 기다릴까 생각했지만, 미오는 곧 생각을 고쳐먹고 책상 앞으로 갔다.

오늘 먹었던 요리를 목록으로 만든 뒤 특징을 정리하고 쉬어야겠다. 내일 이후 주인님과의 동반 탐방을 중시하는 판단이었다.

시키는 성격상 무슨 일이 있으면 빠짐없이 보고할 테지.

콧노래를 흥얼거리며 메모를 적은 뒤 자신이 맛있다고 느꼈던 요리, 무엇보다 마코토가 좋아했던 요리에 표시를 남기며 마무리했다.

마족령에서 맞이한 미오의 밤이 깊어져 갔다.

"용군왕홀(竜群王笏)? 또 굉장한 골동품의 이름을 꺼내는구나, 랄…… 아니, 시키."

마족 여자가 조금 호들갑스럽게 눈을 동그랗게 뜬다.

"로나여. 도련님은 네 제안을 진지하게 받아들여 이렇듯 마족의 옛 수도까지 걸음을 옮기셨다. 마족의 손에 의하여 학원 도시 가까운 곳에서 사용 실험이 이루어진 것은 틀림없지. 끝까지 시치미를 뗄 작정이라면 내가 도련님께 올릴 진언도 마족의 입장에서 딱히 달가운 내용은 아니게 될 터인데……. 상관없겠나?"

얼마 전 시키는 마코토의 학생이 조우했던 아룡의 출현 원인을 조사했을 때 망국의 신기가 존재한다는 결론에 다다랐다. 그것이 용군왕홀이다. 한편 시키는 마족의 흔적도 동시에 발견했었다.

시치미 떼는 태도의 로나를 시키는 준엄한 말로 압박했다.

이곳은 마족의 성에 있는 하나의 방. 동석한 자는 로나와 시키뿐이 아니다.

마왕과 회담 자리에서 몇 번인가 말을 주고받았던 마왕의 자식—차기 마왕 후보인 남성 두 명과 여성 한 명도 함께였다. 로세, 셈, 사리. 루시아를 제외한 세 명이 로나와 시키의 밀담에 같이 참가했다.

마족의 중요 인물이 다수 한곳에 모여 있는데도 불구하고 시키는 말도 태도도 인정사정없었다. 주간의 온화했던 회담 자리와는 대조적인 분위기였다.

시키의 말로 이 방의 안 공기에 떠다니던 긴장감이 몇 단계쯤 고조된다.

"시키 공, 로나의 무례는 사죄하지. 다만 우리들 마족 사이에도 엘리시온의 신기 용군왕홀에 대한 정보는 없네. 맹세코 우리는 그 신기를 사용하지 않았으며 보유하고 있지도 않아. 롯츠갈드에서 작전이 있었던 것은 인정하지만, 로나 장군은 아룡 사건과 무관계하네."

이 자리에 모인 인물 중 유독 몸집이 작고 나이도 어린 사리가 로나의 애매모호한 말을 사죄하며 해명을 한다.

그러나 시키는 살짝 눈을 가늘게 떴을 뿐 로나에게서 시선을 떼지 않았다.

"글쎄……."

"……."

"사리 공과 다른 두 분께 별로 거친 발언을 하고 싶지는 않지만……. 과연 사리 공이 말씀한 「우리」는 마족의 어느 범위까지를 가리키는 말인가. 그리고 로나 장군이란 호칭은 로나 이오니아를 가리키는 말인가, 로나 수트를 가리키는 말인가. 지금 발언은 이렇다 할 변명은 못 되는 게 아니려나."

""""?!""""

시키의 말에 다른 인물들 전원의 몸이 굳어졌다.

지금 발언 하나로 시키가 마족 및 현재 체제에 대해 그들의 상상보다도 훨씬 더 많은 정보를 보유하고 있다는 사실이 분명해졌기 때문이다.

정확하게는 과거 랄바라고 불렸던 때 수행했던 정보 수집의 성과였지만, 그 성과를 지금 시키는 주인과 쿠즈노하 상회를 위해 아낌없이 사용하고 있었다.

로나는 조금 난처해하며 미간에 주름 지었고, 사리의 표정에는 조바심이 배어났다.

다른 두 사람— 로세와 셈은 의아하다는 표정으로 로나를 쳐다본다.

"묵묵부답인가. 이미 로나는 잘 알고 있겠지만, 나는 과거에 랄바라고 불렸던 리치였으며, 마족과는 협력할 때도 반목할 때도 있었다. 지금은 이 몸의 전부를 바쳐서 나의 주인님이신 라이도우님께 헌신하고 있지. 그래, 누구에게도 알리지 않았던 정보를 전부 드러내도 상관없다고 생각할 만큼은."

시키는 자신이 리치이자 마족과도 과거에 관계가 있던 존재임을 밝혔다.

"그래. 그리고 그 남자, 시키에게 빙의하고 있는 상태지?"

"후, 로나여. 아직껏 그릇된 추측을 버리지 못하는가. 틀렸다. 나는 라이도우 님에게 충성을 맹세한 뒤 이 몸을 하사받았다. 이것은 지금 나의 진실된 모습이기에 결코 빙의를 쓴 것이 아닐뿐더러 환영으로 가장한 것도 아니지."

"……네가 다른 사람한테 충성을 맹세했다고? 도저히 믿을 수 없는데. 내가 아는 랄바는 자기 이외의 누구도 따르지 않고 복종하지 않는 지식욕의 화신이었는걸."

"그래, 얼마든지 인정하지. 하지만 네가 경애하는 폐하와 만나 바뀌었듯이 나도 섬길 만한 주군을 만나 바뀌었다. 이게 전부다."

호전적인 태도를 아직껏 허물지 않은 채 이야기하는 시키 앞에서 로나는 무엇인가 생각나는 바가 있었는지 잠시간 침묵하다가 이윽고 입을 열었다.

"용군왕홀은 폐하의 치세에 반감을 품은 레지스탕스 녀석들이 은닉했다고 보고받은 적 있어. 확증은 딱히 없지만."

"로나!"

사리가 질책하듯 이름 불렀지만, 로나와 시키 사이에 만들어진 분위기에 위축되어 더 이상의 말은 되삼킨 채 침묵했다.

"레지스탕스, 흠. 분명 전대의 마왕에게 중용되었던—."

"시키."

"음?"

"폐하는 쿠즈노하 상회와 라이도우를 대단히 높이 평가하고 계셔. 나의 전부와 폐하의 명예를 걸고 맹세할게. 이번 초대에 네 주군을 해하려는 의도는 전혀 없어. 해하기는커녕 폐하는 마왕의 권한을 사용해서 쿠즈노하 상회를 강하게 비호할 생각이셔. 휴만이 대표를 맡은 상회라는 것을 잘 알면서도 말이야. 폐하뿐이 아니지. 여기 동석해 계신 마족의 미래를 짊어지게 될 분들도 저 방침에 기본적으로 찬성하는 분들이야."

"오호……?"

자신의 발언이 가로막혔는데도 분노를 드러내지 않고 시키는 로나의 말에 흥미를 나타냈다.

차기 마왕 후보 세 사람은 로나의 발언을 긍정하듯 차분하게 고개를 끄덕거려 보인다.

그들을 관찰하는 동시에 시키는 자신이 끝까지 발언을 하지 못한 내용과 유일하게 이 자리에 동석하지 않은 마왕의 자식, 루시아의 존재를 마음속으로 고찰했다.

로나가 가진 복수의 이름과 지위.

이 자리에 동석하지 않은 루시아의 의견.

그리고 제프가 라이도우와 만나서 이후 건네주려고 하는 이권의 내용에 대해서도.

'용군왕홀에 대하여 짐작되는 바는 있지만 로나는 이 주제를 어떻게든 피하려는 생각인가 보군. 제프가 마왕의 권한까지 사용해서 이쪽에 건네주려고 하는 이권이라. 몇 가지 상상은 할 수 있는데 발언의 분위기로 짐작하자면……. 아마도 단순하게 상회 활동을 용인하는 것 이상의 무언가를 제시할 테지. 도련님도 기뻐하시겠어.'

시키는 몇몇 헌상물을 예상하면서 내심 미소 지었다.

또한 주군을 모신 자리에서 가질 회담도 고려하여 로세 및 셈의 태도를 추측해본다.

'여기에 있는 두 남자는 자세는 다르지만 쿠즈노하 상회의 힘과 우리의 실력을 활용할 수 있기를 바라는군. 특히 이 셈이라는 자는 우리의 유통 능력을 주목하고 있는 듯했지. 분명 군대와 국방의 시점에서는 위협적이라 보일 테지만, 내정의 충실함과 무역의 이득을 고려하겠다면 학수고대하는 심정으로 우리의 힘을 원할 것이다. 혹한의 환경도 물자만 널리 잘 전달되면 틀림없이 사정이 크게 달라질 테니. 그렇다면 사리라는 소녀는 로나의 후임, 첩보 방면을 담당할 예정에 있는 인물일지도 모른다. 참가조차 안 한 여자, 루시아는 군사 방면인가. 이오와 가까운 인물이라면 도련님께 위협을 먼저 느끼는 것도 납득할 수 있지. 그래, 대강 알겠군…….'

시키는 정보를 추가, 수정하면서 마족들의 반응을 살폈다.

용군왕홀의 건에 로나가 관련되었다는 것은 시키의 머릿속에서 이미 확정 사항이 되었다. 시기와 행동의 규모로 봤을 때 아마도 틀림없겠지.

다만 그것을 이 자리에서 추궁했을 때의 이익과 불이익을 시키는 느긋하게 계산하고 있었다.

지금은 비록 비공식적인 자리이나 태연하게 거짓된 말을 입에 담아서 서로를 속여도 되는 상황 또한 아니었다.

오히려 용납되지 않는다.

기껏해야 사실의 언급을 피한다거나 혹은 잔수작 없이 기밀이라 이야기하지 못하니까 양해를 구하는 정도의 대응으로 제한을 받는 자리였다.

"오늘 밤 연회석 이후에 따로 만날 자리를 마련한 것도 목록에 대해 먼저 이야기하려는 의도가 있어서야. 물론 라이도우 본인이 참석해줬다면…….”

“다른 방에 대기하고 있는 푸른 피부의 미녀가 마중을 나올 준비도 되어 있었다는 건가.”

“맞아, 본인만 원했다면.”

“…….”

위험했다. 시키는 내심 가슴을 쓸어내렸다.

만약 주인님 본인이 와 있는 상황에서 말썽이 일어났더라면 나중에 미오에게 어떤 무시무시한 처사를 당했을지, 원.

이 방에 들어와서 처음으로 시키는 이마에 식은땀이 흐르는 것을 느꼈다.

‘보아하니 제프도 도련님께 뭔가 귀찮은 짓을 할 것 같지만, 아무래도 거기까지 못을 박아 두려는 행동은 부자연스럽겠지. 오히려 그게 나에게 쓸 카드가 된다는 착각에 빠져 심술을 위한 수단으로 쓰이면 귀찮을 테니. 아직 시간은 있다. 레지스탕스의 동태는 나중에 이쪽에서 조사를 진행하기로 하고……. 뭐, 당장에 도련님께 위해를 끼칠 우려는 없겠군. 선량한 분이시니 마족의 여러 풍습을 보고 마음을 아파하실지도 모르겠지만, 이 경우는 넘어서야 할 통과 의례라고 생각해야 될 테지. 나로서는 어두운 부분을 숨긴 채 좋은 면모만 보여주고자 하는 녀석들이 더 다루기 쉽겠지만 별수 없나.’

마왕의 자식들이 저마다 어떤 입지에 서 있는지, 이쪽에 어떤 심정을 갖고 있는지 대강 알았다.

로나가 옛날과 마찬가지로 지금 동석한 인물들에게도 말하기 어려운 종류의 일에 관여하고 있다는 사실 또한 파악을 마쳤다.

오늘 밤 수확은 이제 충분하니 시키는 물러나기로 결정했다.

"그쪽의 환대에 담긴 의도는 연회 전부터 잘 전달되었다. 무엇보다 네가 마왕 제프의 명예까지 언급하며 맹세하겠다면 엘리시온의 신기 문제는 당분간 내 가슴속에 담아 두도록 하지. 그럼 오늘 밤 회담은 제프 폐하가 나의 주군께 많은 비호를 약속해주실 요량임을 전달하는 것만으로 끝내도록 하지— 이러면 되는가? 로나."

"그렇게 해준다면야, 무척 기쁠 거야."

"잘 알았다. 내일 이후에는 마왕 후보분들이 우리와 행동을 함께할 기회도 늘어날 테지. 모쪼록 잘 부탁하마. 그러면 나는 슬슬 나가서 쉴 생각인데 상관없겠나."

"그래. 늦은 밤까지 시간 내줘서 고마워, 시키."

"나야말로. 오랜 인연이 아닌가. 서로의 주군께서도 잘 어울려 지내실 수 있기를 진심으로 기원하겠다."

쿠즈노하 상회의 대표 대리인은 고개 돌리지도 않고 방에서 떠나갔다.

그 뒷모습을 지켜보는 로나의 얼굴에 차마 숨겨지지 않는 씁쓸한 표정이 뚜렷하게 떠오른다.

가지고 있는 정보량의 차이가 드러나게 된 분함에서 비롯된 반응이었다.

그 모습을 본 로세가 로나에게 의문 어린 시선을 보낸다.

"로나, 설마."

"로세 님. 아닙니다, 제게 폐하께서 알지 못하는 면모는 결코 없습니다. 하지만—."

"쿠즈노하 상회, 지닌 능력은 유통뿐 아니라 첩보 면에서도 경이적인가."

셈은 로나의 말을 이어받으며 반쯤 넋 놓은 모습으로 자신의 추측을 말했다.

"아마도 지금 저쪽에서 가지고 있는 정보는 녀석이 랄바였던 시절 확보한 것이 대부분이겠습니다만……. 셈 님의 말씀이 맞습니다. 저자가 작정하고 정보 수집에 힘을 쏟는다면 불과 며칠 사이에도 심대한 유출 피해가 우려됩니다."

"라이도우 본인뿐이라면 모를까, 측근까지도 정말 만만찮은 인물들이군. 대책 없이 접촉을 시도하는 것도, 방치하는 것 또한 논외. 역시 저자들을 조금이라도 더 많이 알아야겠어."

사리는 마치 혼잣말처럼 중얼거렸다.

자신의 주장이 틀리지 않았음을 확신하는 것처럼.

"예. 어떻게든 저들의 정보를……."

소녀의 혼잣말이 딱히 자신에게 한 말은 아님을 알면서도 로나는 고개를 끄덕인 뒤 본인도 필요성에 동의했다.

다만 로나는 이날 밤 더욱 놀라게 됐다.

제프에게 켈류네온의 진실을 전해 들었기 때문이다.

쿠즈노하 상회의 방문은 마족 도시에 큰 폭풍우를 불러오리라. 제프가 왕이 되기 전부터 충성을 맹세했던 로나는 그런 예감을 가슴에 담으며 새삼 결의했다.

이 거대한 폭풍우를 기필코 마족, 아니, 제프의 은덕으로 바꿔 보이겠다고.

3

“친선 시합, 말인가요?”

“맞네.”

내가 차기 마왕이 되는 내용의 황당무계하면서도 뭔가 의미심장한 꿈을 꾼 다음 날.

마왕 제프에게 제안을 받았다.

어제부터 툭하면 힘, 힘 운운했으니까 어느 정도는 예상했던 결과이기는 하다.

“그 말씀은 저희가 마족분들 중 누군가와, 저기, 전투 행위를 한단 뜻이겠죠?”

구실이나 말투는 어쨌든 간에 손님으로 대우를 받는 와중에도 싸움 실력을 증명하라고 요구받은 셈이잖아. 무심코 확인하게 된다.

“맞네. 다소 관객은 모을 터이나 라이도우 공은 부하분들과 나서서 싸워주기만 하면 된다네.”

싸워주기만 하면 된다고요…….

어쩐지 대전 상대가 대충 예상되는데요.

이득이 뭔가 있다면야 수락해도 괜찮다는 게 우리가 미리 맞춘 의견이기는 한데 어떻게 해야 되려나.

지금 시점에서 말하자면 평소 실력대로 싸우면 괜히 두려움만

줄 테고, 가능한 한 살살 싸우며 신사적인 대결을 염두에 두면 마족은 관습상 안 좋게 받아들인다는 정도인가.

“혹시 상대는 어느 분께서 맡게 될까요?”

“장군이나 그에 준하는 실력과 지위에 있는 인물을 내세울 걸세. 괜찮네. 친선 시합은 명목일 뿐, 요컨대 짐이 쿠즈노하 상회에 우호의 증거를 선물하는 데 있어 다소의 실적과 구실이 필요하다는 것이 진짜 이유라네. 너무 진지하게 받아들여서 살기를 띠어도 곤란하지.”

“……우호의 증거는, 어제 환대로 충분한데요. 마족분들이 보여주신 우호의 뜻은 저희에게 이미 잘 전달되었습니다만.”

마왕 이하의 중진 여러분들이 연회를 열어줬고, 은근슬쩍 낮추어 보는 태도도 딱히 없었다.

오히려 우호를 지나쳐서 흑심이 무서운 수준이라고요.

“그 말은 기쁘군. 자, 오늘 예정은 정령 신전의 안내지만 시간이 혹시 남는다면 성 바깥을 둘러보든 성 안쪽 누군가와 대화를 하든 원하는 대로 하시게나. 시합은 그쪽이 수락해준다면 내일 개최하고 싶네만, 어떠한가?”

“내일요. 알겠습니다. 종자들과 상담해서 긍정적으로 검토해보겠습니다.”

“잘 부탁하지. 짐이 안내를 맡진 못하나 딸아이를 둘, 사리와 루시아를 붙여 주겠네. 정령분들께도 안부 전해주게.”

엥?

“……예? 정령과 마주치, 아니, 만날 수 있는 건가요?”

"물론이네. 정령분들도 라이도우 공에게 관심을 갖고 계시는 듯하더군. 땅과 불 속성의 상위 정령이지. 결코 우리만의 아군은 아니네만, 우리에게도 조력을 아끼지 않는 관대한 분들이시네. 어쩌면 이야기가 잘 통할지도 모르겠군."

정령……. 게다가 상위 정령이라면 만난 적 없었지.

여신 쪽 존재라는 인상이 있어서 접근하기 좀 꺼려지는 데다가 일단 기회가 없었다.

마족령에서 처음 대면하게 된 것도 뭔가 신기한 기분이야.

"그냥 기원을 하러 간다는 생각이었는데요, 실제 정령과 만날 수 있다니 긴장되네요."

나는 좀 커다란 신사에 방문하는 편한 느낌이었단 말이야.

신령이 깃든 물건도 아니고 본인이 있는 상황이었을 줄이야. 게다가 분위기가 왠지 만남은 이미 확정인 것 같거든.

어떡하지.

"폐하, 슬슬 시간이."

"도련님, 준비 끝났습니다."

어라. 로나가 머리 숙이며 제프 폐하를 부르러 왔다. 바로 옆에는 시키도 있고.

마왕이니까 매일 바쁘다. 당연한 거야.

로나는 성안에 있을 땐 비서도 겸하는 건가.

"수고가 많네, 로나. 금방 가지. 라이도우 공, 방금 전 말한 안내자들은 정문 앞쪽에 대기시켰네. 오늘도 마족의 도시를 보고 즐겨주기를 바라는 바네. 그러면 실례하지."

"감사합니다."

로나와 같이 떠나가는 제프 폐하를 배웅한다.

"시키, 미오는 먼저 나갔어?"

나를 부르러 와준 시키에게 이곳에 안 보이는 미오의 위치를 물었다.

"예. 미오 님도 성 바깥을 구경하는 것이 즐거운가 봅니다. 어제 둘러보지 못했던 구획에 있는 것 같군요."

"그렇구나. 듣고 있었을지도 모르겠는데 안내를 해줄 사람이 있다니까 빨리 정문으로 가자. 사리 씨와 루시아 씨. 분명…… 마왕의 자식 중 두 사람이었지."

"아, 동행이란 그 두 사람이었습니까. 하필 여자를 둘 붙이다니요. 무슨 의도라도 있는 걸까요?"

"……그건 아니지 않을까? 시키야말로 로나랑 같이 나타났는데 혹시 사이가 좋아진 거야?"

시키가 나를 놀리려고 한다는 건 알겠다.

요즘에는 나도 진지하게 받아들이지 않고 적당히 상대하는 방법을 익혔으니까 조금씩이나마 익숙해지고 있는 것 같다.

언제까지고 놀림만 당할 순 없잖아.

"여우와 너구리의 머리싸움은 아무리 치열해도 우호와는 거리가 있는 법이지요. 물론 쿠즈노하 상회 및 도련님과 관련된 안건에서는 정보량의 차이가 너무 큰지라 승부가 되지 않았습니다만. 녀석도 상당히 분한 눈치였습니다."

"아하하……. 왠지 나중에 무서울 것 같아. 아, 그리고 말야. 마왕님이 내일 친선 시합을 하고 싶다고 말씀하시던데 받아들여도 괜찮을까?"

"……예. 그 요청은 받아들여주십시오. 상대가 제시할 만한 대가에 조금 짚이는 것이 있습니다. 그게 정말이라면 받아서 손해는 안 볼 권리를 챙길 수 있습니다."

"로나한테 얻은 정보야?"

"예. 아마 일부러 정보를 흘림으로써 저희가 시합 요청을 받아들이도록 의도했을 테지요. 상대의 노림수도 도련님과 상회에 딱히 불리하게 작용하지는 않을 테니 이 기회에 받을 대가는 받는 게 좋겠습니다."

"알았어. 그럼 미오한테도 말해줘야겠네. 그리고 레프트 씨와 미오가 부딪치지 않게 옆에서 잘 도와줘."

"분부대로."

성 출구까지 같이 걸어가면서 믿음직한 시키와 아침의 대화를 즐겼다.

후유……. 이제 좀 마음이 편해졌다.

아무리 친근하게 웃어줘도 제프 폐하는 그냥 대화만 나눠도 정신이 지친단 말야.

"그러면 라이도우 공은 특별히 저주병의 치료약에 힘을 쏟고 계시는 건가?"

"네. 가장 주력하고 있는 분야입니다. 혹시 약을 쓸 일이 생기면 말씀해주세요."

"나는 오늘 라이도우 공의 안내를 명령받은 몸. 그게 아니더라도 폐하께서 나라의 손님으로 초대한 분들이시니 내게 경어는 전혀 필요치 않다. 아무쪼록 함께 다니는 종자분들과 이야기하듯 편하게 대해주시게."

……내가 아는 사람들 중 가장 어린아이는 아마 황야의 베이스에서 알게 된 리논일 텐데 이곳에서 만난 사리라는 아이도 대강 비슷한 나이 같거든.

아마 초등학교 고학년쯤 되는 외모니까.

요즘 리논은 키도 좀 자라고 체격도 여자아이답게 둥글어지고 있으니까 그 점을 생각하면 여기에 있는 사리가 외모는 조금 더 어리겠어.

말투는 엄청 야무져서 어린 나이에 영주가 된 좋은 가문의 영애 같아.

역시 일본과 비교하면 이세계가 훨씬 더 빨리 성숙해지는구나.

내가 보기에 열 살짜리는 마냥 꼬맹이인데 리논은 어린 나이에 벌써 언니의 수입과 지출을 관리하면서 자기도 돈 벌러 다녔다. 물론 집안일도 두루두루 이미 다 익혀 놓았고.

내가 열 살 무렵이었을 때와 비교하고 싶지 않아. 한심해지니까.

"진짜 편하게 대하기는 좀, 다음 마왕이 될 수도 있는 두 분께 종자와 마찬가지로 이야기하기는 많이 어려워서요……."

"난 딱히 편하게 이야기하라는 말은 안 했다만?"

이번에는 루시아 씨가 말을 꺼냈는데 나는 쓴웃음을 지을 수밖에 없었다.

이 사람은 다른 의미로 상대하기 어렵다.

내가 말을 건네면 웃는 표정을 지으며 대답해주기는 한다. 대놓고 영업 사원 느낌으로.

그런데 그것 말고는 전혀 액션이 없다.

가끔 힐끔거리며 표정을 확인하면 뚜렷하게 불만에 찬 얼굴이 자꾸 보이거든.

네 명의 후계자 중 가장 무인 느낌이 강한 사람이니까 고작 상인의 길 안내 담당은 마음에 안 드는 걸까.

"죄송하—."

"귀공은."

내가 꺼내려던 사죄의 말을 가로막더니 루시아 씨가 처음으로 웃음을 짓지 않은 채 말을 걸어왔다.

"네, 네에."

"나의 스승이기도 한 이오, 그리고 부왕이시자 훌륭한 술법사이며 창술가이기도 한 제프 폐하께 본신의 실력을 인정받은 분이다."

으음, 진지하게 화내는 건 아닌가?

뭐랄까, 언짢아하는 느낌인데 정작 발언의 내용은…….

"분하게도 나는 아직껏 귀공의 진정한 저력도, 역량도 전혀 파악이 안 되는군. 어쨌든 그만한 힘을 보유한 인물이라면 자기 실력에 걸맞은 자신감과 태도를 갖고 행동하는 것이 맞지 않겠는가?"

"자신감과, 태도 말씀인가요?"

요컨대 나는 강하다며 과시를 하고 다니라는 뜻?

"강한 자 대부분은 높은 경지에 이를 때까지 필연적으로 수많은 타인을 물리쳐야 한다. 그렇다면 밟아 넘어온 상대들의 간절함이며 축적된 경험을 제 몸에 새기고 양식으로 삼아 매사에 당당하게 처신하는 것이 올바른 도리 아니겠는가? 한데 귀공은 제 힘을 오히려 감추려고 하는군. 이해할 수 없다. 아울러 납득도 할 수 없다. 내게는 마치 귀공이 이제껏 밟아 넘어온 자를 무시하고 있다는 생각밖에 안 드는군. 그러한 행위는…… 유쾌하지 않아."

"루시아 언니. 그런 말투는 라이도우 공에게 무례라네."

"사리, 넌 로나와 같은 사고방식에도 관대하니까 인내할 수 있겠지만, 나에게 라이도우 공의 이 같은 행동은 역시 참아주기 어렵군. 나의 스승 이오가 이런 인물에게 놀아났다는 것이 믿기지 않는다. 보나 마나 비겁한—."

아하, 이오의 제자라서 내가 마음에 안 드는구나.

확실히 로켓 펀치 흉내질에 강제 퇴장을 당하면 비겁하다는 말이 나올 수밖에.

친선 시합도 받아들이기로 했고, 대전자와 싸워서 확실하게 힘을 증명하면 오해는 풀리지 않을까.

"약할수록 목소리만 크더라."

—헉.

미오~?!

노점상 구경 다닌다더니 언제 돌아온 거야?!

양손에 꽃, 이 아니라 양손에 간식을 든 미오가 루시아 씨의 발언 중 끼어들었다.

"……지금, 뭐라 말씀하셨나? 종자 공."

"도련님께 이러쿵저러쿵 떠들 지위에 있지도 않고 힘조차 없는 주제에 말솜씨는 참 훌륭하다고 말했을 뿐이에요."

진짜 가차 없구나, 미오.

아니나 다를까, 루시아 씨가 부들거리고 있었다. 속마음을 굳이 짐작하지 않아도 분노 때문이란 건 명백했다.

큰일이 터지기 전에 미오를 말리는 게 좋을까?

그치만 지금 분위기가 좀 부자연스럽다는 느낌을 받거든.

응, 이런 때는 의식을 한 발짝 뒤로 물려서 시야를 가능한 한 넓히라고 했지.

반사적인 행동은 자중하자.

위화감의 정체는……. 맞아, 사리다.

너무 조용해.

나한테 이것저것 불만을 늘어놓는 루시아에게 사리는 잠깐 말참견했을 뿐 적극 제지하려고 들지 않는 게 이상하다.

혹시 이게 다 연극이라거나?

아니면 루시아 씨의 언동은 진짜인데 사리가 뭔가 꾸미고 있나?

이야기의 분위기로 상상하자면 사리는 로나한테 배운 것 같으니까 아주 말이 안 되는 이야기는 아닐 거야.

그럼 미오가 너무 흥분하지 않게 조심만 하면 되려나…….

"……나는 이오와 레프트, 두 명의 장군을 스승으로 두고 매일같이 단련에 힘쓰고 있다. 검을 쥔 날부터 단 하루도 단련을 게을리하지 않았지. 그러한 나를 미오 공은 약하다고 말씀하셨는가? 혹여 철회하지 않겠다면 이 말은 모욕으로 받아들이겠네."

루시아 씨는 진심으로 화내고 있다.

아마도.

역시 사리가 혼자 상황을 이용하는 건가?

급하지 않게, 침착하게 상황의 추이를 지켜본다.

"레프트……? 어머나, 고작 그러한 자에게 사사하고 있단 말인가요? 실례했어요. 아무래도 강함과 약함 이전에 소꿉놀이였나 보군요. 제가 어른스럽지 못했습니다. 발언은 철회하겠어요."

"모욕, 이로군."

"어머? 철회라고 드린 말씀을 못 들었나요? 귀는 달려 있어요?"

……미오, 도발 솜씨가 많이 늘었구나.

여자는 무서워.

나도 자신의 활이 소꿉놀이라는 말을 듣는다면 반사적으로 화내지 않을까.

"무기를 들어라. 친선 시합까지 기다릴 것도 없지. 네 힘을 지금 이곳에서 확인해주겠다."

루시아 씨가 미오에게 손가락질하며 매섭게 노려본다.

"돌이킬 수 없는 형태가 된 자신의 몸을 보고 도련님께 한 폭언을 뉘우치세요."

일촉즉발의 기세가 주위에 들어찼다.

불길한 색을 띤 불꽃이 흩날리는 것 같다.

으음~ 여기까지구나. 말리자.

조금 신경 쓰이는 문제도 있고.

사리는 이 말싸움을 진지하게 지켜보느라 **저 현상**을 못 알아차린 것 같은데 시키는 벌써 가볍게 조사해주고 있단 말이야.

"그만."

"윽?!"

"……아, 도련님."

두 사람의 몸을 불가시 상태로 둔 마력체의 손으로 잡아 구속했다.

물론 미오는 마음만 먹는다면 빠져나갈 수 있겠지만, 내 의도를 알아차리고 얌전히 있어줬다.

루시아 씨는…… 도망은커녕 어떤 수단에 움직임을 봉인당했는지도 알지 못하는 눈치다.

무기를 뽑기 전 단단히 붙잡았으니까 물리적으로 몸을 못 움직이는 상태였다.

"루시아 씨, 사리 씨. 제 일행이 실례를 했습니다. 대신 사과할게요. 그리고 루시아 씨. 거리 한복판에서 검을 뽑지 않아도 저희는 친선 시합에 기꺼이 참가하자는 생각이니까 아무쪼록 내일까지는 기다려주시죠. 그보다 지금은 조금 신경 쓰이는 게 있습니다."

"라이도우 공. 이 솜씨는, 나를 구속한 것은 귀공의 소행인가?"

루시아 씨는 구속을 풀어내려고 몸부림치고 있다.

"네."

"……도대체 어느 틈에 술법을 썼지."

"금방 풀어드릴게요. 그보다 두 분께 여쭙고 싶은 게 있습니다. 아마 저기에 두 개 늘어서 있는 커다란 신전이 정령 신전일 텐데요, 저곳 주변은 언제나 **저런 상태**인가요?"

"음? ……앗?!"

"뭐라? ……아?!"

아이고, 보아하니 뭔가 사건이 터졌구나?

두 사람 모두 저쪽의 「일그러짐」을 보고 놀란 눈치였다.

내가 가리킨 곳은 신전이 둘 늘어서 있는 장소.

다만 주위의 풍경이 묘하게 일그러져 있다.

뭔가 필터를 통해 보는 것처럼 부자연스러운 느낌이었다.

정령이 있는 장소라니까 혹시나 이게 평범한 상태인지도 모른다고 기대해봤는데 아니었구나.

미오와 루시아 씨를 풀어줬다.

"시키, 뭔가 알겠어?"

"농밀한 정령의 힘이 느껴집니다. 땅과 불의 힘이군요. 경쟁하듯 고조되면서 서로 뒤섞여 주위에 역장을 발생시키고 있는 것 같습니다만……. 원인까지는 아직 가늠할 수 없군요."

정령의 힘이 너무 과해서 풍경이 일그러졌다는 건가.

여기가 외딴곳의 비경이라면 별로 안 놀랐을 텐데 길거리잖아.

큰 사건이 터진 것 같아.

"혹시 모르니 한 번 더 여쭙겠습니다만, 항상 이런 상태는 아니었겠죠?"

"당연하다. 저래서는 기원을 드리러 갈 때도 곤란하지 않겠나."

"저렇게 바뀐 광경은 처음 본다네."

두 사람 모두 당황하는 티를 내면서 고개를 흔들었다.

아이고, 맙소사. 일단 성으로 돌아가는 게 좋을까?

"그럼 돌아가서 폐하께 보고드리죠. 빨리 움직여야겠어요."

"아니, 잠깐만."

"잠깐 기다려주게."

"네?"

제법 제대로 된 의견을 말했다고 생각했는데 두 사람에게서 동시에 제지의 말이 나왔다.

루시아 씨와 사리가 서로 얼굴을 마주 바라보며 몇 번인가 같이 고개를 끄덕거린다.

"라이도우 공. 마왕 후보자의 이름을 걸고 귀공의 안전은 보증하지. 이대로 조사를 겸하여 신전에 들어가고 싶네. 부디 협력해 줄 수 있겠나?"

"언니의 말에 동의하네. 방금 전 실례의 사죄를 대신하여 우리의 힘을 증명하고 호위도 해드리겠네."

"아뇨, 그치만 큰일이 생겼는데 일단 폐하께 판단을 요청하는 게 좋을 텐데요?"

"……요동치는 공간 내부에 사람의 모습이 보이지 않아. 아마도 계획적인 사태일 테지. 정령 신전은 우리들 사이에서는 인기가 많은 장소이니까. 이런 대낮에 아무도 없다는 것은 도저히 말이 안 되네. 오늘 이 장소에 우리가 올 예정이었음을 아는 인물은 극히 소수뿐. 그렇다면, 이 사태는……."

"우리끼리 대처하라는 것이 폐하의 의향일지도 모르지. 라이도우 공, 부탁하네."

언니의 말을 여동생 사리가 보충한다.

하지만 안쪽에서 만약 쿠데타라도 일어났다면 뒷감당 어떡할 거야.

아무리 마왕이어도 출동 가능한 군대도 분명 주둔시켜 놓았을 이 도시에서 굳이 소중한 후계자에게 위험한 일을 떠맡길까?

아니면 우리 일행을 포함해서 뭔가 시키려고?

지금 수락하면 두 사람에게 제법 신용을 얻을 수 있겠지만, 진구렁에 발을 디디는 것 같기도 하고…….

"……으음."

고민하는 내게 시키가 말을 건넸다.

"도련님, 외람되오나 아뢰겠습니다. 이 같은 비상사태에 혹여나 주민이 휘말렸다면 큰일입니다. 어떤 투쟁에도 몸담지 않은 채 평온하게 하루하루를 살아왔을 주민이 만에 하나라도 생명을 잃어버리는 사건이 일어나서는 안 됩니다. 루시아 공도 사리 공도 마왕을 목표로 하는 인재답게 책임감을 갖고 어렵게 요청했을 겁니다. 지금은 일단 이분들의 제안을 받아들이는 것이 마땅하다고 생각하는 바입니다."

시키답지 않았다. 뭐랄까, 묘하게 인도적인 발언.

사실 미오는 물론이고 시키도 마족 주민들의 안부 따위에 티끌만 한 가치도 느끼지 않는다고 나는 생각하거든.

적어도 이제까지 나눈 대화에서는 못 받은 느낌이었다.

그런데 갑자기 사람 목숨은 지구보다 무겁다는 식의 발언을 꺼내다니.

"시키, 혹시 정신이 나갔나요? 저희에게 이 도시의 주민 따위야

죽거나 말거나 아무래도 상관없는데요. 여기 두 사람이 구하고 싶다 말했을 뿐 도련님께는 오히려 민폐입니다. 게 · 다 · 가! 방금 전 이 여자의 무례하기 짝이 없는 발언은 너도 들었을 텐데요? 도움을 줄 필요는 전혀 눈곱만큼도 없습니다."

미오는 말이 좀 지나치네.

좀 많이 지나치다.

"미오 님. 확실히 방금 전 발언은 무례했습니다. 다만 지금은 사소한 다툼은 잠시 잊어버리고 무고한 주민들의 안부를 조속히 확인하는 것이 마족에 대한 성의를 보여주는 결과가 되지 않겠습니까. 도련님께서는 결코 인명과 관계되는 도움의 요청을 민폐라고 치부하시는 분이 아니니 말입니다."

……득도라도 한 걸까, 시키.

다만 표정도 눈빛도 평소와 같은 시키다.

음~ 그러면 일단 따라주는 게 좋겠네.

사실은 너무 일이 귀찮아질 것 같으면 무시하고 싶다는 생각을 잠깐이나마 하고 있었다.

그치만 과격한 발언을 한 미오의 손을 들어주기보다는 시키의 인도적인 발언을 밀어주는 편이 이 경우는 도움이 될 것 같아.

"미오, 잠깐 참아줘. 도시 안에서 터진 사고니까 상황을 잘 아는 루시아 씨와 사리아 씨가 서둘러 움직여야 한다고 판단한 이상 손님인 우리가 반대할 문제는 아니야. 잘 지켜주겠다고도 말해주셨으니까 바로 출발하자."

"……도련님 지시라면 상관없습니다. 도련님은 제가 지켜드릴 테니까 위험도 전혀 없고요."

"영단이십니다, 도련님. 저도 전력을 다해 지켜드리겠습니다."

미오는 어딘가 석연치 않은 모습으로, 시키는 만족스럽게 고개를 끄덕인다.

"둘 다 고마워. 루시아 씨, 사리 씨. 예정한 대로— 평온한 방문은 못 되겠습니다만, 정령 신전으로 안내를 부탁드릴게요."

"라이도우 공, 감사하네. 다시금 앞선 무례를 사죄하겠네. 귀공의 용기는 칭찬받아 마땅하군."

"고맙네, 라이도우 공. 반드시 여러분을 무사히 귀환시키겠다고 나의 이름과 목숨을 걸고 약속하지."

목숨은 왜 걸어. 호들갑스러운 말이다.

도저히 어린아이의 말 같지가 않아, 역시나.

외모랑 갭이 엄청나다.

감탄하면서 일렁이는 풍경 안쪽에 있는 신전을 본다.

상위 정령은 과연 얼마나 강하려나.

최악의 경우 전투에 돌입할 때를 생각해서 나도 활— 아즈사를 금방 꺼낼 수 있게 준비해 둘까.

아테나 님하고도 그럭저럭 선전했으니까 정령은 어떻게든 될 거라 생각하지만 말이야.

설마 신님보다 강하진 않을 테니까 괜찮을 거야.

가능성은 낮지만 장난기 많은 정령의 깜짝 환영 파티라는 맥 빠지는 결말일지도 모르고.

여신이 저런 꼴이니까 무슨 일이 일어나도 이상할 게 없다.

이제 한 발짝이면 일렁이는 공간의 안쪽. 가까운 곳까지 온 우리는 돌입을 개시했다.

"그럼 가볼까요."

"먼저 침입로를 열겠다. 잠시 기다려주게."

내 말에 대답해준 사람은 사리.

미오가 뭔가 말하려고 했지만 제지했다.

여긴 곧바로 못 들어가는 곳인가? 뭔가 쓱 들어가면 될 것 같은데.

아마 미오도 같은 말을 꺼내려 했을 테니까 막았다.

사리가 공간을 향해 집중하며 긴 영창을 통해 간섭하고 있다.

"사리 공은 뛰어난 술사군요. 아직 어린 나이에 훌륭한 소질입니다. 일그러진 공간에 간섭하는 술법 행사는 아무나 익힐 수 있는 기법이 아닙니다."

"고맙네, 시키 공. 나의 여동생 사리는 특히 마술 분야에서는 마족 중 가르침을 청할 대상이 몇 안 될 만큼 뛰어난 술사라네. 결계에 관한 술식은 비록 전문이 아니지만, 반드시 길을 열어줄 걸세."

시키와 루시아 씨는 마술 이야기로 작게 이것저것 대화를 시작했다.

루시아 씨는 확실하게 검사일 테니까 자매가 각각 검사와 술사를 맡은 셈인가? 피가 이어졌는지는 모르겠지만 전위, 후위로 편성할 수 있는 구성이구나.

"……좋아, 열려라!"

사리의 말에 호응해서 일렁거리는 공간 일부가 갈라졌다.

좀 좁지만 어찌어찌 지나갈 순 있겠다.

건너편에는 일렁이지 않는 똑같은 풍경이 펼쳐져 있다.

"잘했다, 사리."

"이쯤이야 당연히 해내야지."

흐뭇한 자매의 대화였다.

그럼 얼른 들어가서…….

"조금 좁군요. 넓히도록 하죠."

"도련님, 이리 들어가시도록 해요."

막 걸음을 떼려고 했던 내 귀에 두 개의 목소리가 들린다.

물론 시키와 미오였다.

시키는 사리가 만든 입구를 단번에 쭉 확장시켜서 넓혀 놓았다.

또 옆에서는 미오가 손에서 어둠을 쏘아 내더니 곧장 일렁이는 풍경을 침식, 시키보다 호쾌하게 입구를 만들어 놨다.

"……."

"……."

루시아 씨와 사리는 침묵.

말은 없어도 수많은 말을 대신하는 침묵이었다.

"시키, 내가 도련님께서 지나갈 길은 만들어 놓았어요. 그쪽은 너와 다른 사람들끼리 쓰도록 해요."

"이왕에 만든 통로이니 이쪽 입구를 다 같이 사용하면……. 아니요, 딱히 다른 장소로 나오는 것도 아닐 텐데 두 개를 만들어도 상관없지요. 그럼요."

미오에게 시선을 한 번 받은 시키가 순식간에 뜻을 굽혔다.

"가, 가죠. 목적은 신전의 상황 파악이니까요. 사이좋게 잘해봐요."

내 말은 어딘가 허망하게 울려 퍼졌다.

……참고로 나는 미오가 만든 입구로 들어갔다.

◇◆◇◆◇

일그러진 공간 내부는 특별히 마물이 있지도 않고 누군가 마족이 떨고 있지도 않았다. 그냥 땅과 불 속성 정령이 미친 듯이 춤추며 소란 부리고 있을 뿐.

다만 아무런 힘도 없는 사람이 춤추며 소란 부린다면 모를까, 짙은 밀도의 속성 마력 덩어리와 마찬가지인 정령들이 저렇게 난리 피우면 당연히 안전하지 않다.

돌이며 금속이 구체 및 뾰족한 탄환처럼 하늘을 마구 날아다니고 있는 데다가 또 주위에서는 각양각색의 불꽃이 신종 예술처럼 요란하게 난동 부리고 있었다.

희미하게 사람을 본뜬 적색과 황색의 빛, 자아를 가지지 못한 하위 정령들이 나타났다가 사라졌다.

그런가 하면 장지뱀보다 곱절은 큰 크기의 도마뱀이 몸에 불을 두르고 쫄랑쫄랑 기어 다닌다.

백설 공주의 난쟁이 같은 차림을 한 자그마한 녀석이 망치를 한 손에 든 채 주변을 마구 내리치며 다닌다.

이 녀석들은 아마도 중위 정령일 거야.

자아를 가진 개체도 있고 아닌 개체도 있고 제각각이다.

……여기에 있는 정령은 전부 제정신이 아닌 모습이라서 분간하

긴 좀 어렵지만.

“정령 특유의 난장판이구나, 이건.”

“그렇군요. 거하게 취한 듯한 몰골입니다.”

“시끄럽네요.”

우리의 감상은 이런 느낌이었다.

“그게 웬 태평한 소리인가!”

“정령 신전에 명백한 이상 사태가 발생했어. 내부, 대제단까지 서둘러 가야겠어.”

루시아 씨와 사리는 꽤 진지한 모습으로 정령들에게 대처하고 있었다.

사방팔방에서 날아오는 무궤도의 공격을 쳐내며 천천히 전진.

우리는 두 사람의 뒤에 붙어서 나아가고 있는 셈이다.

……아니, 지켜준다며 자꾸 고집을 부리니까.

실상은 시키와 미오가 후방에서 오는 공격과 전진을 방해하는 견제도 무효화해주고 있지만, 이런 땐 말을 안 하는 게 멋이다. 나도 안다고.

“저기요? 이런 속도면 신전에 들어가기는커녕 어디 중간에서 야숙을 해야 될 것 같은데요.”

일단 현재 속도에 대해 언급은 했다.

신전에 다가가면 다가갈수록 정령의 움직임도 더 활발해지고 있다.

적어도 지금까지 온 거리와 앞쪽 상황을 계로 살펴봐서 종합하면 대강 예상이 됐다.

아무래도 루시아 씨는 이오처럼 반칙 비슷한 재생 능력은 없는지 대미지 무시 특공은 못하는 것 같아.

사리의 술법은 임기응변이 뛰어나고 마력량도 풍부하지만, 방어해야 할 공격의 수가 너무 많아서 자꾸자꾸 선수를 빼앗기고 있고.

역시 한 번은 돌아가는 게 좋지 않을까 하는 생각이 든다.

누구 마족의 장군을 부른다거나 혹은 부대를 제대로 편성하면 어찌어찌 전진할 수 있을 것 같은데.

"이리도 공격이 멎질 않으면 어쩔 수 없네! 몇 가지 대책을 생각은 하고 있으니 잠시 이대로 기다리게!"

루시아 씨는 여유가 없네요.

급하면 고함을 지르게 된다.

레프트라는 장군은 분명 카운터의 명수였더랬지.

싸우는 모습을 보면 루시아 씨는 아마도 이오한테 상대의 급소를 찾아내는 수법을 배워 계승했고, 레프트한테는 후발선제를 배워 전법에 적용시켰다.

밸런스가 좋은 타입이라고 생각해.

이오와 같은 전법을 똑같이 계승하겠다면 녀석의 방어력과 재생능력도 필수잖아.

그건 반칙이지. 양산기는 슈퍼 로봇을 흉내 낼 수 없다고.

"언니, 어려운 상황이군. 나도 조금 생각해봤는데 철수가 현명하다는 결론에 도달했네."

사리는 꽤 냉정하다.

뭐, 큰 기술을 한 방 날려도 곧 다시 파도가 밀려드니까 괜히 소모만 될 뿐 불리해진다. 더 이상 이동 속도를 높일 수 없다면 상황은 쭉 나빠지기만 할 터였다.

나도 알 수 있었다.

"그럼 철수하죠. 예상보다 상황이 안 좋아요. 지금은 보고만 정확하게 해도 역할을 충분히 완수한 게 아닐까요?"

루시아 씨의 대답을 기다리지도 않고 난 사리의 결론을 지지했다.

"……하지만 철수하기 위한 출구를 만들 여유가 없네."

어라라.

우리가 들어왔던 입구는 이미 닫혀버린 데다가 저기까지 돌아간 뒤에 사리더러 다시 한 번 집중을 하라는 건 많이 힘들겠지.

"어쩔 수 없군요. 저희 쪽에서 다시 입구를 열어드릴 테니 물러나죠. 루시아 씨, 사리 씨. 무모한 행동은 안 돼요."

"마치! 너무나! 쉬운 일이라는 듯이 말하지 말게!"

왼쪽 오른쪽 날카로운 움직임으로 창을 날려서 정령을 상대하던 루시아 씨가 대답했다.

체력은 아직 여유가 있는 것 같은데 정신적인 여유는 언제까지 버텨줄지 잘 모르겠다.

음, 뭐랄까, 언행은 꽤 야무져도 역시 아직은 「어린아이」가 맞구나 여겨지는 부분도 있어 안심했다.

"병아리 같은 당신들처럼 힘들어할 리가 있나요. 이 정도는 준비 체조도 안 되는걸요. 물러나든 전진하든 아무 어려울 게 없습니다."

"……대단한 자신감이야. 그러면 그 실력을 꼭 보여주면 좋겠군. 단, 앞에 나아가는 방향으로 말이지!"

앞이라니.

책임감이 강한 걸까? 아니면 이게 다 마왕의 계획인가?

애당초 이 변이 자체가 마왕의 의도였을 가능성도 있는 것 같기는 한데 말이야.

"라이도우 공. 나 또한, 가능하면 그대들의 힘을 견식하고 싶다. 이런 상황에서 물러나는 것도 전진하는 것도 똑같이 수월하다 말할 수 있는 쿠즈노하 상회의 실력을 보고 배우고 싶군."

"보고 배우겠다고요? 그러면 「힘을 증명하겠다」라고 말씀하신 두 분의 제안과는 반대 상황이 되어버립니다만? 자기 사정에 따라서 불쑥 말을 바꾸시면 도련님도 저희도 많이 곤란합니다."

시키는 기막히다는 듯이 어깨를 으쓱였다.

"시키 공. 나의 예측이 안이했던 것은 솔직히 인정하겠네. 다만 상황이 이런지라 신전 안에서 정령을 모시는 인물들의 안부가 한층 더 걱정되네. 그들에게 숨이 붙어 있다면 나와 언니가 보호할 테니 아무쪼록 부탁을 들어주실 수 없겠는가. 물론 이 사안은 폐하께도 보고를 올려 반드시 보답 받으실 수 있도록 하겠다 약속하겠네."

부상자인가. 사실 마족일 듯한 생명 반응을 몇몇 파악했다.

……게다가, 조금 전까지는 생명이 있던 장소도.

"흠……. 다음 세대의 마족을 책임지게 될 인재로 꼽힌 당신이 그렇게까지 말씀하시는군요."

"……."

사리는 입을 다물어버렸네.

왠지 느낌상 신전 내부는 아마도 더 강력한 정령이 난동 부려서 더 심한 카오스 상태가 됐을 테니까 차라리 두 사람을 돌려보내고 전부 우리끼리 맡아 해치우는 게 편하…….

앗, 안 되지.

여기는 마족령이니까 우리끼리 맘대로 일을 진행한다는 인상은 피하는 게 좋겠지.

일단 마왕부터 도무지 방심할 수 없는 사람이니까.

"도련님, 지금은 은혜를 한 번 베푸는 것이 어떨까요."

시키가 작은 목소리로 제안했다.

"응, 괜찮겠네."

"도련님은 마족에게 너무 무르셔요. 시키, 너도 마찬가지입니다."

"너무 삐치지 마, 미오. 점심 식사 전에는 돌아가고 싶지?"

"그야…… 그렇기는 한데요."

"그럼 잠깐만 참아. 신전 대제단까지 가면 원인도 파악할 수 있다잖아."

"……후유. 어쩔 수 없군요. 거기 둘, 물러나세요. 교대하죠."

미오가 부채를 펼쳐서 앞에 나서자 시키가 뒤따랐다.

전위에 미오와 시키.

한가운데에 나.

후위에 루시아 씨와 사리.

……어라, 내가 마족 아이들 보호자 역할이네?!

오오.

"솜씨를 보도록 할까, 라이도우 공. 아버님과 스승께서 인정한 힘, 종자들 또한 여간내기는 아닐 테니까."

음, 뭐랄까. 루시아 씨한테는 미운털이 콱 박혔나 봐.

"큰소리 치고 이렇게 되어 미안하네. 라이도우 공, 적어도 그대는 우리가 지켜주겠네."

사리는 말은 듬직한데 실상은……. 에구.

아이들 둘은 마력체를 펼쳐서 지켜주면 되겠지. 뭔가 물어보면 그냥 장벽이라고 대답하자.

"아니요, 이런 상황에 괜히 부담감 갖지 마세요. 몇 명은 아직 무사한 사람도 있으니까요, 그 사람들을 보호할 방법이라도 미리 생각해주시면 좋겠네요."

"음?! 무사한 자의 위치를 알 수 있는가?!"

"정말인가, 라이도우 공!"

루시아 씨와 사리의 안색이 바뀌었다.

"신전에 향하기 전에 그쪽을 먼저 들르죠. 네 군데쯤 있어요. 미오, 시키, 장소는 이미 파악했지?"

"네, 순서대로 돌아보도록 하죠. 하지만 굳이 도련님께서 가실 필요는 없답니다."

"미오 님의 말씀이 옳습니다. 저쪽 계단이 있는 곳에서 기다려 주십시오. 저희가 모아 데려오겠습니다."

"그래. 알았어, 부탁할게. 기다릴 테니까."

수백 미터 앞 커다란 계단 아래를 본다.

뒤에서 루시아 씨와 사리가 흠칫 놀라는 기색을 느꼈다.

순서대로 네 군데를 돌아다니다가 몇 명 죽게 만들 바에야 미오와 시키에게 맡기는 게 좋다.

“그러면 잠깐 조용히 시키고 오죠. 시키, 네가 나머지를 맡아 처리하세요.”

“맡겨주십시오.”

미오가 자신을 중심으로 보이지 않는 그물을 거미집처럼 넓은 범위에 쭉 둘러쳤다.

별말은 없이 조용하게 눈을 감는다.

저게 미오 나름의 영창 비슷한 행위일 거야.

아무것도 안 하는 듯 보이는데도 이러다가 불쑥 큰 기술이 날아온단 말이지.

시키도 미오를 힐끔 봤다가 뭔가 영창을 하기 시작했다.

주위에 모래알 정도로 작은 오렌지색 빛이 드문드문 나타나서 퍼져 나간다.

꽤 신경을 써야 겨우 안 놓칠 시키의 영역이 완성되어 갔다.

“그러면 가볼까요. 가볍게 달리는 정도 속도로 움직일 테니 잘 따라와주세요.”

“아니, 가볍게 달린다니? 라이도우 공, 이런 상황에서 대체 어떻게.”

아직껏 땅과 불 정령이 미친 듯이 날뛰는 공간을 가리키며 당황하는 루시아 씨.

“금방 아실 거예요. 아, 보세요.”

나는 미오의 힘이 발동되는 것을 느끼고 짧게 대답했다.

—차락.

미오의 부채가 경쾌한 소리를 내며 접혔다.

그 순간.

단 한 번, 커다랗게 지면이 흔들린다.

그리고 조용해졌다.

우리한테는 단순히 그게 전부였다.

다만 날뛰던 정령들한테는…….

"조금 남았군요. 잔챙이뿐인 데다가 별로 맛있지도 않았습니다만, 자기 분수도 모르고 도련님의 앞에서 미쳐 날뛰는 잡것들에게는 이런 정도가 딱 좋은 결말이에요."

후둑후둑— 소리를 내며 불과 광물이 잇따라 땅에 떨어지고 있다.

그에 더하여 도마뱀과 난쟁이도 몸 대부분을 커다란 입에 물어뜯긴 것처럼 상처를 입은 채 쓰러졌고, 또한 상처가 난 자리에서 퍼지는 어둠에 침식되어 사라졌다.

아직 땅에서 움직이는 정령과 힘의 여세로 하늘을 떠다니는 물체가 약간은 남아 있었지만, 그것도…….

"그럼 나머지는 제가 처리하지요."

시키가 검은 지팡이로 지면을 짚었다.

시키의 술법 발동은 꽤 정석에 속한 방법이다.

저렇게 취향에 따른 동작이 뭔가 술법의 위력을 높여주기도 하니까 경시할 수 없다. 시키의 방금 동작이 딱 좋은 사례겠지.

덧붙여서 「땅은 바람에 먼지로 화하고, 불은 물에 재가 되어」라며 영창을 끼워 넣었으니까 아마도 속성이 다른 정령 각각에 대처하는 술법을 구성했을 거야.

"아."

사리의 말— 아니, 멍멍한 목소리를 신호로 조금이나마 남아 있었던 정령이 얼어붙어 흩날리거나 또는 갈기갈기 찢겨 사라졌다.

훌륭해.

"그럼 곧 돌아오겠습니다."

꾸벅 인사한 뒤 미오와 시키가 제각각 다른 방향으로 흩어졌다.

"자, 대충 정리됐네요. 저희도 서둘러 움직이죠. 보이는 건 전부 치웠지만, 여기 상황이 이러니까 아마 또 금방 솟아날 거예요."

"……."

"……."

어라, 뭔가 두 사람 모두 여기에 막 들어왔을 때처럼 이상한 느낌이다.

이쯤이야 아마 마족군 장군 수준이면 가능할 텐데.

이오라면 대미지를 받거나 말거나 이미 신전에 진입하지 않았으려나?

무사했던 사람들을 보호해서 안전을 확보한 다음.

우리가 들어온 땅의 신전 내부는 일부러 심술을 부려 놓은 것처럼 미로화되어 있었습니다. 어떤 바보가 한 짓이야.

난 이런 거 싫어한다고.

게다가 질척질척한 동굴도 솔직하게 말하면 별로 돌아다니기 싫다.

관광지가 된 종유동이 한계야.

지저의 신비라는 말에 끌리는 마음이 약간 있기는 한데 습도랑 온도랑 지하 수맥이랑 생각하면 현실의 동굴은…….

지금까지 이 세계에서 본격적인 동굴 탐사를 할 기회가 없었다는 게 정말 다행이었다.

요컨대…… 지금 꽤 힘들어. 좁은 데다가 어둑어둑하고 괜히 찝찝해서인지 살짝 더웠다.

"으으, 적당히 조준해서 싹 날려버리면 안 될까?"

"얼마 안 남았으니 잠시만 참아주십시오."

상위 정령이 두 마리? 두 명? 있다는 건 대충 알겠다. 거기까지 직선으로 구멍을 뻥 뚫고 싶어지는 충동이 솟아올랐는데 시키가 나를 말린다.

……안 되나.

"도련님, 안 들키면 괜찮답니다. 얼른 해버리죠."

"미오, 이미 말 전부 주고받았잖아. 어떻게 안 들켜, 시키도 다 들었는데."

"시키는 괜찮아요. 못 들었다고 할 거예요."

"미오 님, 그건 도저히 감당이 안 됩니다……. 정령 신전의 이상 사태를 조사하는 것이 목적이니 제발 무력행사는 자제해주십시오."

별수 없다. 이번에는 시키의 말이 합리적이야.

응?

'언니, 이자들은 진짜입니다. 쿠즈노하 상회는 여기에 있는 세 사람만으로도 대국에 버금가는 군사력을 보유했습니다. 그뿐 아니

라 상위 정령과 맞서게 될 수도 있는 사태에 관여하면서 전혀 위기감이 없습니다.'

'알고 있다. 하지만 사리, 실제 라이도우라는 이 인물이 정녕 강한지는 아직 분명치 않잖느냐.'

'저는, 이토록 강한 두 인물이 혈통이나 권력으로 주군을 결정할 것 같지는 않습니다. 아버님께서도 염려하셨듯이 라이도우는 결코 적으로 만들어서는 안 되는 상대라고 저는 판단했습니다.'

어쩐지 조용하더라니 염화인가.

상위 정령의 위치를 확인하려고 계를 전개했다가 우연히 듣고 말았다.

로나가 썼던 염화는 해석이 이미 끝났으니까 내용을 듣는 정도는 거뜬하거든.

요즘 탐색용 계를 전개할 때 염화 내용이 제대로 숨겨지나 확인하는 버릇이 들어 다행이었다.

……아니, 도청은 나쁜 짓인가?

하지만 정보전이라고 생각하면 이 경우는 대화를 노출시킨 사람이 잘못한 거야. 로나도 같은 생각이었을 테니까 보안에 신경 쓴 염화를 만들어서 사용하고 있고.

응, 죄책감은 옆으로 밀어 두자.

'……그럼 이 사태가 아버님과 대립하는 멍청이의 짓이든 아버님께서 준비한 계획이든 다른 사유에 따른 소동이든. 결국 우리에게는 가치 있는 사건이 되는 셈인가.'

'아마 아버님께서 일으킨 사건은 아니리라 생각합니다. 라이도우의 힘을 조금이라도 가늠하기 위해 일부러 저희에게 임무를 맡긴 뒤 방관하고 계실 가능성은 어쩌면 있을지도 모르겠습니다만.'

'상위 정령을 미끼로 써서, 우리의 목숨도 사용해서 말인가?'

'정령은 차치하더라도 저와 언니로 라이도우의 힘과 경향을 조금이라도 파악할 수 있다면 아버님께서는 분명…….'

'……그렇군. 어차피 우리가 마왕으로 선발될 가능성은 낮다. 능력은 있다지만 여자이니까……. 다른 쓸모도 많지.'

'마족에 헌신하는 한편 언젠가 정세 안정이나 유력한 다른 아인과의 우호를 위해 어딘가로 출가시키는 것이 정석이겠지요.'

'그래. 역시나 사리도 같은 생각이었나. 우리 역사를 돌이켜봐도 여왕은 없진 않으나 적다. 오라버니들은 특히 정치에 우수한 분들이시고.'

뭔가 무거운 염화를 나누고 있군.

미오와 시키의 활약 덕분에 지금까지 열 명 가까이 생존자를 확보했다. 유감이지만 더 이상 생존자는 없다.

전원에게 결계를 쳐서 안전을 확보한 이후론 마족의 두 아이도 살짝 안심한 것 같았다.

여기부터 앞은 상위 정령과의 조우를 포함해서 전투력이 관건이 되는 단계는 아니니까 자신들이 나설 상황은 없을 거라고 생각하는지도 모르겠다.

적어도 여기 두 사람은 상위 용이라든가 상위 정령과 맞상대할 만한 실력은 아직 없잖아.

'라이도우. 이 같은 경지의 힘을 보유했다면 지금껏 보인 행동은

전부 속임수일 터. 철저하게 계략을 세워 우리와 접촉했다고 가정하는 것이 타당하군.'

루시아 씨, 진짜로 나를 경계하는구나. 하지만 전부 다 과대평가야.

……속임수는 속임수인데 아마 루시아 씨 상상하고는 반대의 속임수일걸.

한심하게도.

'글쎄요, 장담은 할 수 없습니다만. 각오는…… 아마 필요하겠습니다.'

'오늘 안내인 역할을 명령받은 이유는 어젯밤 아버님께서 라이도우에게 출가하는 것을 어떻게 생각하냐는 질문에 한 대답이 원인인가? 사리.'

풉!

출가? 즉 결혼?!

'저는 보류였고, 언니는 절대 거부였지요.'

보류…….

나중에 대답.

당장 결정하지 않고 일단은 가만히 상태를 보겠다는 뜻. 요컨대 부정은 아니다.

부정이 아니라고?!

맙소사…….

그치만 꼬맹이는 진짜 무리다.

윤리적으로 무리.

2차원에서도 솔직히 피할 때가 많았던 루트거든.

실제 생각해봐도…… 응, 무리.

'출가할 뜻이 없다면 하다못해 정보 수집에는 도움이 되란 말인가. 여차할 때 라이도우의 방패가 되어 죽음으로써 마족에 대한 인상을 좋게 만들라는 뜻인가.'

'아니면 이 힘을 실제로 보고 생각을 달리하라는 의미일 수도 있습니다.'

'훗, 분명 비상식적이지, 이 녀석은. 내가 아무리 발버둥 쳐도 이길 수 없단 건 알겠다. 아니, 진즉 알았지. 라이도우를 진지하게 만들지도 못하고 흔적도 없이 지워질 테지. 하지만 나는 자신의 힘을 자랑하지 않고 어딘가 경시하는 분위기마저 있는 이 녀석의 태도가…… 도무지.'

'라이도우의 태도는 힘을 경시하는 것과 조금 다르지 않을까요……. 강한 힘을 가졌을 뿐 지극히 평범한 사람이라는 인상을 저는 받았습니다만.'

'그렇다면 더욱 위험한 인물이군. 하루하루를 살아가는 자의 발상으로 이토록 강한 무력을 휘두른다면 어찌 감당할 수 있겠나.'

'예. 그래서 라이도우에게 필요한 겁니다. 이자를, 지닌 무력을, 마족에게 향하지 않게 막아줄 존재가.'

'……그것이 나, 혹은 너라는 말이더냐? 다만…… 외모와 나이를 감안하면 라이도우가 어지간히 특수한 취미를 가지지 않은 한 해당 역할을 맡아야 할 사람은 내가 되지 않겠는가.'

전혀 없네요, 특수한 취미!

무심코 마음속으로 따지게 된다.

그러던 중 나는 **어떠한 존재**를 포착했다.

……응? 어라, 이 반응은. 혹시 **저쪽에서** 먼저 오려나?

'언니는 차세대의 군부를 맡을 분. 가능하다면 저에게 반응해줘야 모든 것이 잘 풀릴 것 같습니다만…….'

'사리 또한 내정과 외교에서 두루 정보가 중요해진 지금은 추후 로나와 쌍벽이 되어주어야 할 귀한 인재가 아닌가. 그에 비하여 이오, 레프트와 같이 아직껏 현역에 있는 나의 스승들이 통솔하는 군부는 오히려 우려가 적지. ……언젠가 왕비라는 명목의 정치도구가 될 신세라면 차라리 패왕과 동등한 힘의 소유주에게 몸을 바치는 것도 나쁘지는—.'

그래, 맞았네! 저쪽에서, 왔어!

잠깐 염화에 쏠렸던 정신을 챙겨 고속으로 들이닥치는 반응에 집중했다.

"미오, 시키! 저쪽에서 먼저 와주려나 봐."

"어머, 시키의 입을 막고 벽을 파괴할 수고는 덜었네요."

"예……? 그나저나, 대제단이라는 곳이 넓어서 이래저래 수월할 테니 가능하다면 저기에서 가만히 있어주는 것이 저희에게는 더 좋았겠습니다만."

아하, 그렇다면야.

"이동 경로는 알고 있으니까 도로 밀어내자. 내가 할게."

움직인 궤도는 대강 기억하고 있다.

여기는 땅의 정령 신전이니까 저기 들이닥치는 녀석은 땅 속성의 상위 정령일 거야.

뭐, 지금은 어느 쪽이든 상관없나.

"제가 맡겠습니다."

"큼직한 놈 같아서 그래. 너희는 루시아 씨와 사리 씨를 잘 돌봐줘."

꽤 커다랗다.

거미였던 시절의 미오가 아마 곱절은 더 크려나.

대형 트럭과 맞먹는다는 뜻.

상위 정령이라는 녀석은 아직 본 적은 없지만, 이 크기라면 아닐 가능성은 아마 없겠지.

"저 부근의 벽을 깨부수고 올 거야. ……어라, 소?!"

크다!

아니, 예상은 했는데. 소라고?!

벽 파괴라는 요란한 방법으로 등장을 해서 우리들 앞에 나타난 저 녀석은 이쪽을 보자마자 지면을 앞다리로 차기 시작했다.

움직임도 소잖아. 투우인 줄.

그치만…… 군데군데 좀 달라.

외형이 가장 비슷한 건 소인데 갈기가 있고 발굽 대신에 흉악한 갈고리 발톱이 달려 있다.

입가에는 세이버 타이거처럼 두꺼운 송곳니가 보인다.

전신은 까맣고 반들반들해서 딱딱한 인상을 주는 피부. 뿔은 소와 비슷하기는 한데 더 두껍고 날카롭다.

눈동자는 번뜩번뜩 빛나서 전혀 제정신이라는 느낌이 안 든다.

상위 정령도 이런 꼴인가. 토모에가 말하길 상위 정령은 여신을 따르는 존재이지만, 상위 용과 나란히 이 세계에서는 격이 다른 존재라고 했는데.

그나저나 정령! 여기까지 올 동안 튀어나왔던 녀석들, 전부 제대로 말도 안 통했거든!

그때 갑자기 녀석의 눈이 한층 강하게 빛났다.

엑!

"미오, 지워!"

"네!"

되나 안 되나를 확인할 틈도 없었다.

일단 나도 같이 전원을 보호하기 위해 장벽을 치려— 치려고 하는 순간에, 시키는 이미 움직이고 있었다.

능력 있는 부하를 둔 나는 정말 행복한 사람이야.

바닥과 벽이 까맣게 변색되더니 날카로운 돌기가 되어 우리에게 덮쳐든다.

다만 이것도 미오가 접은 부채로 하나를 톡 건드리자 전부 다 사방으로 흩어졌다.

아슬아슬하게 늦지 않았다!

대단해, 미오.

"시키, 두 사람을 보호하면서 맨 뒤로 물러나. 미오, 내 뒤에 붙어. 저 녀석이 뭔가 행동을 하면 발동 전에 지워버려!"

"분부대로."

"맡겨주세요, 도련님."

간신히 제때 지시를 마쳤다.

투우와 비슷하게 예비 동작을 마친 상위 정령이 머리를 살짝 숙였다.

예리한 뿔이 생물처럼 꾸불꾸불하며 전방, 우리를 향해 비틀려 뻗어 나온다.

와아, 멋있다. 저거 가변식…… 앗!

시선을 빼앗긴 틈에 돌진이냐?!

그래도 힘겨루기라면 문제없다.

제단까지 쭉 밀어붙여보실까!

"설마, 저 공격을 막아 낼 셈인가?!"

"무모해……."

아가씨 두 사람의 말은 무시한 채 돌진하는 특급 소(가칭)에게 나도 돌진으로 대응한다.

마력체를 전개해서 저 녀석보다 조금 먼저 멈춰 섰다. 그리고 막 들이닥친 머리 끝, 예리한 두 개의 뿔을…… 마력체의 양손으로 잡는다!

가속하며 돌진한 특급 소가 내 앞에서 일순간 부들거리다가 멈췄다.

"……뭐? 아니, 체격 차이가. 저 거구를? 말도 안 된다……."

"술식 하나도 전개하지 않고 움직임을 막다니?"

"자, 상위 정령님. 일단 자기 방으로 돌아가주실까요!"

어디, 전진이 가능하려나.

쳇, 역시 네발짐승이야. 잘 버티네.

그래도 이런 건 줄다리기와 똑같아.

균형이 무너지면 끝은 한순간이지.

"움직임이, 멈췄다. 아니, 조금씩이나마, 밀린다?! 하지만, 대체 어떻게."

"아, 혹시 저번에 보고를 받은 마력의 물질화 · 고정화에 따른 구축체가 아닐까요. 보이지 않게 유지하는 상태에서도……. 저런 지경의 강도를 자랑한다니?"

뿔을 붙잡힌 게 마음이 안 드는지 특급 소는 질색하며 머리를 흔들었다.

그래도 안 놔줘.

아랑곳 않고 밀어붙였다.

슬슬 무너진다.

이렇게 된 이상 이제는 후퇴할 뿐.

나는 오히려 아직 여유가 있다.

좋아!

"미오, 시키. 루시아 씨, 사리 씨. 쭉 밀어붙일게요. 제단까지 잘 따라와주세요."

다리에 힘을 넣었다.

아무리 움직이려 해도 안 움직이는 머리, 제아무리 땅을 박차서 힘을 실어도 천천히 내려가는 몸. 녀석의 눈에 조바심이 떠오른 순간, 나는 모아 놓았던 힘을 해방해서 녀석을 왔던 길로 쭉 밀어냈다.

서서히, 차근차근 가속하다가 마지막에는 녀석이 돌진해서 나타났을 때가 떠오르는 빠른 속도로.

드디어 대제단까지 특급 소를 밀쳐냈다.

"장외요~! 헤헤. 토모에가 봤으면 기뻐했으려나."

일 하나를 완수했다는 달성감이 몸에 솟아오른다.

"다 왔군요. 훌륭하십니다."

"조금 넓어도 아주 넓지는 않네요. 이 녀석을 처리하는 데는 조금 좁을지도 모르겠어요."

신나게 말을 주고받는 우리와 달리 마족의 두 아이는 이미 말수가 제로. 염화로 뭔가 대화를 나누고 있는지는 모르겠는데 지금은 전투 중이기도 하고 도청은 안 한다.

한편 특급 소는 서둘러 일어나더니 변함없이 이쪽을 노려보며 뭔가 공격을 시도하는 것 같았다. 다만 미오가 모조리 무효화하고 있기 때문에 전혀 하나도 발동되지 않는다.

"좋아, 시키는 조사 맡아줘. 내가 루시아 씨와 사리 씨를 지킬 테니까 미오는 저 상위 정령을 좀 진정시켜주고. 뭔가 흥분한 것 같아서 말야."

"지시에 따르겠습니다."

"알겠어요. 그런데 도련님, 그냥 해치워도 괜찮은 거죠?"

"안 돼, 절대로. 제정신을 차릴 수 있게 두드려주는 정도만 해줘."

"……이럴 땐 상관없다고 말씀해주시길 바랐어요."

상관없겠냐~!!

정령이거든? 상위 정령이니까 아마 굉장하거든?

일단 제대로 이야기를 들은 다음에 어떻게 할지 결정하지 않으면 큰일 난다는 정도는 알아.

나중에 여신한테 뭔가 항의받아도 귀찮고.

그러고 보니까 여신(그 자식), 요즘은 진짜 얌전하네.

아공에 스사노오 님과 신님들이 방문했을 때 여신에게 설교도 하고 제약도 가했다고 말씀하셨는데 대체 어떤 조치였을까?

……상상만 해도 무시무시하다.

그때 난 결국 정장 차림의 아테나 님한테 꿈쩍도 못할 지경으로 얻어맞았었잖아.

가장 말단처럼 부지런하게 움직였던 아테나 님도 그렇게 강하니까.

신님 진짜 무서워.

벌레(여신)는 제외하고.

"도, 도련님!"

불쑥 시키가 놀란 기색으로 소리를 쳤다.

"시키, 왜?"

"옆에서도 옵니다!"

옆에서?

"불의 상위 정령도?!"

루시아 씨가 시키의 말에 반응했다.

"베헤모스뿐 아니라 페닉스까지……? 이러면, 도시 전체가 잿더미가 될지도 몰라. 그저 공간이 일그러진 정도였기에 적어도 상위 정령만큼은 미치지 않았으리라 여겼다. 그래서 우리끼리도 대처 가능하다 판단했었지. 어째서 모든 예측이 틀어졌나. 대체, 어째서!"

사리도 중얼거렸다.

아하, 저 녀석이 베헤모스구나.

멋대로 특급 소라고 이상한 이름 붙여서 죄송했습니다.

아무튼, 흠, 페닉스라.

상위 정령이라는 설명밖에 못 들어서 자세한 정보는 알지 못했는데 이름을 알게 되어서 조금 이득을 본 기분이다.

게다가 이 던전을 한 번 더 돌지 않아도 된다는 게 솔직히 기뻐.

난입 감사, 대환영!

"……미로 한 바퀴 덜 돌겠네. 내가 웬일로 재수가 좋아. 그럼 시키가 페닉스를 맡아서—."

"시키, 네가 저 소를 처리하세요. 나는 새를 맡도록 하죠."

"미오?"

불쑥 미오가 대화에 난입했다.

소— 아니, 베헤모스의 상대는 어떻게 했어.

구속되어 있던 베헤모스가…… 검은색 그물 비슷한 것을 잡아 찢었다.

괜히 더 화나게 만든 느낌이야.

시키도 저 상태에서 배턴 터치를 하란 말에는 난감할 텐데.

"음, 아뇨. 굳이 말하자면 도련님과 미오 님께서 마저 상대를 맡아주시는 편이 더 확실하겠지요……."

아니나 다를까, 시키는 약간 떨떠름한 눈치다.

지금 막 조사를 부탁하기도 했고, 내가 한쪽을 맡아 처리하는 게 좋겠네.

그런데 미오는 전혀 아랑곳하지 않고—.

"나는, 소 말고 새가 더 마음에 들어요. 어서, 교대하죠."

"괜찮아, 시키. 한쪽은 내가 맡—."

"시키. 아슬아슬한 지경까지 힘을 시험할 좋은 기회 아닌가요?

아니면? 종자인 네가 도련님께 귀찮은 일을 떠넘길 셈인가요? 슬슬 한 단계 발전할 때가 됐잖아요."

"아니, 시키한테는 원인 조사를 부탁하고—."

갑자기 분위기가 달라진 시키가 내 말을 가로막았다.

"도련님, 부디 저에게 맡겨주시겠습니까? 땅 속성의 상위 정령, 상대로 부족함은 없습니다! 부디!"

아까부터 말을 끝까지 하게 놔두질 않네!

뭐, 진짜 싸우고 싶다니까 맡겨줘야겠지.

무슨 일 생겼을 때 도와주면 그만이니까.

"잘 생각했어요. 너도 빨리 우리와 나란히 올라서야죠."

미오도 만족스럽게 고개를 끄덕인다.

이제 난 예정대로 루시아 씨와 사리를 보호해주자.

"그럼 도련님, 저는 스스로 불을 둘러서 구워주고 있는 새를 먹, 아뇨, 진정시키고? 아무튼 잠깐 두드리고 올게요."

……불안하다. 아니지. 잘 먹겠습니다, 라는 말은 안 나온 게 감지덕지인가.

◇◆◇사리◆◇◆

상위 정령과의 전투 개시 직후.

나는 라이도우와 쿠즈노하 상회의 전투 장면을 단지 바라보기만 할 수밖에 없었다.

마족의 장군이라든가 아버님이라든가 그러한 기준 자체가 저 인물들을 가늠하기에는 전혀 충분하지 못함을 금세 절감했다.

애당초 땅과 불 속성의 상위 정령을 제각각 한 명이서 맡아 싸우려 하는 패거리가 있는 시점에서 이해력이 따라가질 못했다.

머리로 상상 가능한 강함과 실제 목격해서 알게 된 강함은 다르다.

나의 기억에서 지금 이 광경과 비슷한 사례를 애써 찾아보자면—.

얼마 전까지 마족과 침식을 함께했었던 소피아라는 모험가가 있다.

그 여자도 무력을 가늠하기 어려운 인물이었다.

고작 몇 명이서 상위 용과 대적하여 토벌했다던데 나의 눈에는 이오 장군이 상대인데도 비장의 수단을 남긴 채 대항할 수 있는 강자라는 사실밖에 보이지 않았다.

내가 주로 사사했던 인물이 장군 중에서도 첩보 및 공작을 특기로 하는 로나였기에 무인이 서로 느끼는 진짜 실력이라는 감각에는 둔한 까닭도 얼마간 있었겠지만.

가령 루시아 언니는 개인의 무력을 간파하는 능력이 나보다 뛰어나다. 그럼에도 저 라이도우라는 인물은 도무지 가늠이 되지 않는다고 한다.

결국 무력을 간파하는 안목은 어쩔 수 없이 본인의 실력에 제약을 받기 마련인지도 모르겠다.

문득 떠오른 생각이다.

"뭐 하나요. 움직임이 둔하잖아요, 새고기!"

공중을 미끄러지듯 이동하며 흑발의 여인— 미오가 페닉스를 상대로 날뛰고 있다.

듣자 하니까 시키라는 다른 한 명의 종자가 지상에서 베헤모스를 수월하게 상대할 수 있도록 공중전을 벌인다고 했다.

페닉스는 다른 이름으로 불사조라고도 불리는 존재이다. 정말 불사가 맞는지는 차치하더라도 이오 장군을 뛰어넘는 최고 수준의 재생 능력을 갖추고 있음은 분명하다.

실제 미오가 휘두른 부채에 몇 번이나 날개가 찢겨 나갔는데 순식간에 재생을 마쳤다.

그럼에도 관찰을 계속하면 미오가 지적한 대로 서서히 움직임이 둔해지고 있다는 인상을 받았다.

만약 저 현상이 약해지고 있기 때문이라면 미오는 상위 정령을 압도하는 강자라는 뜻이다.

페닉스는 온화한 성격의 정령이라고 아버님께서 가르쳐주셨다.

그렇다 해도 엄연히 상위 정령이라 불리는 존재. 비단 공격뿐 아니라 어떤 행동이든 나로서는 무엇 하나도 방해 가능한 수준이 아니었다. 만약 대치한다면 몇 초 안에 나를 불살라서 차마 형용할 수 없는 잿더미로 만들 상대다.

하물며 눈앞에 있는 불사조의 행동 방식은 온후함과 한참 거리가 있는 사나운 불꽃과 같았다.

그래, 저것은 본래 개인이 맞설 수 있는 상대조차 아니거늘.

"이것도 안 되나! 땅 속성의 정점답게 몹시 까다롭구나!"

조바심이 배어나는 시키의 말.

어떤 의미에서는 이쪽이 미오 이상으로 더욱 놀랍다.

베헤모스는 땅의 상위 정령이며 시키가 막 언급했듯이 땅 속성과 연관된 모든 것의 정점이었다.

로나에게 받은 보고에서 저 시키라는 인물이 가진 힘의 근원은 지난 과거의 존재이자 리치, 랄바다.

리치는 언데드 중 최고위의 위치에 서 있다. 하지만 언데드는 애당초 땅 속성에 속한 종족이다.

즉 땅 속성의 정상에서 군림하는 베헤모스와 승부 가능한 언데드 따위 실재할 수 없다. 있어서는 안 된다.

설령 군단을 편성하더라도 포효 한 방에 흙으로 돌아가는 결말을 맞이할 테고, 검이든 마법이든 정령의 몸에 흠집 내려는 시도 따윈 아예 가망이 없다.

—그런데도 불구하고, 위력은 상당히 죽었을지언정 몇몇 술법이 통용되어 상처까지 입혀 놓았다.

세간의 상식을 뒤집어엎는 전투라고 말할 수 있다.

마술에 입문한 몸으로서 저자의 건투는 순수하게 믿기 어려웠다.

"13계단(리스 리처)! 제1부터 제4계단까지 해방. 「지팡이(완드)」, 「검(소드)」, 「잔(컵)」, 「주화(코인)」."

시키의 힘이 팽창되었다?!

게다가 존재 자체가 강화된 듯한 상당히 고위의 힘이 발동됐어.

네 개의 말이 들렸다.

즉 네 가지 종류의 강화를 한 번에 부여한 거야?

저렇게 높은 위력의 술법을 저렇게 짧은 영창으로?

시키뿐이 아니다. 쿠즈노하 상회의 세 사람은 모두 이상하리만큼 영창이 빨랐다.

저 기술의 한 조각만이라도 마족에게 가져온다면 더욱 복잡하고 폭넓은 전술이 가능해질 것이라고 단언할 수 있다.

저 녀석들은 아무렇지도 않게 파격적인 기술을 구사한다.

언제부터인가 시키의 손에 네 개의 반지가 끼워져 있었다.

방금 전 리스 리처라는 술법의 부차적인 효과일까.

"제7계단, 「헬」 해방, 아울러 발동! 「안개의 신전(니플헤임)」, 저 녀석을 모조리 먹어 치워…… 읍?!"

방대한 힘이 시키에게 집중되었다가 막 해방되려고 한 순간.

베헤모스의 뿔 형태가 변하더니 두 개가 한 개로 꼬여서 합쳐졌다.

눈이 빛난다.

시키의 새끼손가락에 아마도 반지였을 빛이 생겨났다가 이내 부서져서 사라져버렸다.

아마 술법이 실패한 탓이다.

혹은 방해를 받아 불발되었거나.

"어라라, 저 단계에서 부서져버리면 당분간 못 쓰잖아. 베헤모스, 본능으로 움직이고 있을 텐데도 위험한 건 알아보는구나. 음, 본능이라서 알아보는 건가?"

전혀 위기감이 없는 라이도우의 말.

내가 생각하기에 시키가 몹시 위험한 상황에 처했는데도 아예 걱정하는 시늉도 하지 않는다.

미친 정령의 영역에 진입한 이후 라이도우가 싫은 내색을 하며 찡그렸던 이유는 오직 신전이 미로로 바뀌었다는 문제 때문이었다.

"육탄전이 엄두가 안 나는 거구를 가진 주제에 하는 짓거리가 쪼잔하군! 술법이나 닥치는 대로 취소시키고 말이지!"

그렇게 말하며 시키는 베헤모스에게 달려들었다.

명백하게 술사인 시키가 저 정령과 접근전을 벌이는 것은 누가 보아도 무모한 행동이었다.

방금 전 라이도우는 한없이 특수한 사례이니까.

그런 대응을 정말 해내는 술사가 세상에 둘은 없으리라 단언할 수 있었다.

"아스칼론!"

시키의 짧은 영창.

이번에는 방해를 받지 않고 완결되었는지 손에 들고 있었던 까만 지팡이가 대검으로 모습을 바꿨다.

그다지 익숙하다고 말할 순 없는 손놀림으로 대검의 자루를 쥔 시키가 베헤모스의 뿔에 일격을 때려 박았다.

새카만 검은 날카로운 소리를 내며 튕겼다. 당연히 시키의 자세도 크게 무너지면서 빈틈이 생겨났다.

그럼에도 웃음 지었다.

"제6계단, 「프레이」 해방. 「검제 빙의(소드 스프리템)」."

시키의 움직임이 일순간에 달라졌다.

야성적이며 몹시 거칠어 직감에 의지하는 듯한 타고난 전사의 움직임으로.

일순간의 틈에 찔러 들어온 뿔은 통렬한 참격에 요격당하는 결과로 끝났다.

……어처구니없다.

맨 처음 일격은 대체 무엇이었는가.

"……이리도 아름답고, 유려한 검이라니."

짧게 한마디, 옆에서 칭찬의 말이 들려왔다.

시키가 거듭 휘두르는 검은 옆쪽에 서 있던 루시아 언니가 이렇듯 시선을 빼앗긴 채 말을 못 이을 만큼 굉장했다.

나 또한 처음으로 보는 아름답고도 격렬한 검에 빨려 들어갈 것 같았다.

수법의 전환이 이루어지면서 시키는 또 조금씩 베헤모스에게 상처를 입히기 시작했다.

그렇다 해도 페닉스만큼은 아니지만 베헤모스에게도 재생 능력이 있다.

다소 상처를 입혀도 회복 속도가 더 빠르기에 이대로 계속 싸운들 시키는 체력을 잃을 뿐.

……이제까지 시키는 딱히 본능으로 싸우는 것 같지는 않았다. 그러니까 아마 무엇인가 대책은 있을 것이다.

저자의 전법은 책략에 따른 것.

경지는 어쨌든 간에 기본은 나와 같기에 왠지 알 수 있었다.

그러나, 그럼에도 저 검술은 별개다. 명백하게 본능적인 움직임으로 보였다. 어쩌면 자포자기해서 가장 특기로 하는 전법으로 도박을 했을 가능성도 있겠다는 생각이 들었다.

아니, 틀렸어. 전투 와중에 이따금 엿보이는 눈동자가 몹시 냉정했다.

"술식이 딸린 반지는 못 쓰게 막아도, 이건 어떠냐!"

다리, 송곳니, 뿔.

그리고 몸통 부딪치기.

베헤모스의 동작 하나하나가 모두 다 즉사급 공격. 이따금 저 거구로 상체를 일으키면 위용에 압도되어 공포심이 가슴속 깊이 솟아올랐다.

게다가 거의 무영창인 각종 마술.

시키는 이 같은 공격을 어찌어찌 받아넘기며 공격을 계속했다.

―이상하다.

시키가 선언했던 숫자보다 반지가 많다.

하나는 분명 망가졌을 텐데도. 저거, 숫자가…….

채애애애앵!!

격한 금속음을 울리며 시키의 흑검이 베헤모스의 뿔 사이에 끼였다.

못 움직이게 옭아매는 형태다.

큰일이야!

반사적으로 라이도우를 돌아봤다.

아직도 움직일 생각이 없어?!

마치 촉수처럼 자유자재로 움직이는 예리하고 단단한 뿔……. 정말 까다롭구나!

베헤모스가 커다랗게 입을 벌렸다.

뿔에 지지 않는 예리한 송곳니가 시키에게 물어뜯었다.

"제8계단, 「라그나로크」 해방."

거기까지 주문을 읊었을 때 시키의 몸 일부가 뜯겨 나갔다.

윽.

어째서, 어째서 라이도우는 동료의 위기 앞에서도 태연자약하지?

내가 판단한 바, 너는 한 식구로 인식하는 사람에게는 절대 이러한 대응을 하지 않을 터…….

"끝났네. 그런데 좀 위험했어. 먼저 제미니를 준비해 놓지 않았다면 같이 쓰러졌을 가능성도 있었어."

앗? 라이도우의 말에서는 낙담이 아닌 오히려 안도가 느껴진다.

"제1 사슬(레이징)."

그 목소리는 베헤모스의 바로 옆에서 들려왔다.

"뭐, 이게 다 반지 제어에 심혈을 기울여서 노력해왔던 밑바탕이 있기 때문이지. 착실한 수련이 결국 자신에게 가장 큰 도움이 되는 거야. 고생했어, 시키."

라이도우가 얼굴을 향하고 있는 그곳에 시키가 있었다.

하지만 지금 막 물어뜯긴 것도 분명한데…….

베헤모스의 정면으로 다시 시선을 돌리자 보이는 것은 허물어지는 흙덩이.

그리고 레이징이라고 주문을 외운 시키의 목소리에 호응하여 베헤모스의 몸에 겹겹이 사슬이 휘감겼다.

움직임을 봉하는 술식? 아니면 봉인술? 상위 정령에게 유효한 기술이라면 실전된 금술이나 고대의 저주에 해당하는 수법임은 틀림없었다.

시키는 이런 강력한 술법을 대체 얼마나 많이 습득한 거야?

들은 이야기에서 랄바는 로나와 거의 호각이랬는데……. 제자인 내 눈에도 오늘 본 시키가 몇 단계는 우위에 있었다.

로나가 아는 랄바는 이미 과거의 인물.

지금의 시키라는 인물을 가늠하기에는 너무나— 아니, 전혀 참고할 만한 근거가 못 되지 않을까.

"시키, 힘 아끼지 말고 쏟아부어! 뜯어낼 거다!"

라이도우가 고함을 치자 시키는 즉각 반응했다.

"쳇!! 제2 사슬(드로미)! 제3 사슬(글레이프니르)!"

베헤모스의 몸 전체를 사슬이 뒤덮는다. 복잡하게 뒤얽혀서 마치 고치처럼 베헤모스의 거구를 공중에 구속하고 있다.

저 사슬은 공중에서 뻗어 나와서 끝부분은 안 보였다.

물리적인 위력뿐 아니라 특수한 힘으로 행동을 봉인했는지 베헤모스는 더 이상 몸부림도 치지 못했다.

"헉, 헉……."

"고생했어. 제9 제미니부터 제8까지 동시 발동이라니 굉장하네."

"……아니요, 매 순간이 죽기 살기였습니다. 술식이 딸린 장비는 반지도 제대로 사용하질 못하는군요……."

"아냐, 굉장했어. 속성이 같은 상위 상대는 이렇게까지 많이 힘들어지는구나. 혹시 위험해지면 도와줄 생각이었는데 끝까지 혼자 잘 싸웠어."

도우려는 낌새는 전혀 없었다.

라이도우는 시키가 베헤모스를 제압하리라고 반쯤 확신했던 거야.

게다가 전투 상황에서 라이도우는 어딘가 평소와는 달랐다.

특히 곁에 있으며 느낀 안정감이.

루시아 언니의 말처럼 이게 라이도우의 본성인가?

"아직 제10 이후는 발동조차 불안정하지요. 앞으로도 온 힘을 다하여, 정진하겠습니다."

"지금은 쉬어. 뭐, 미오도 곧 끝날 테니까 대충 조용해지면 조사 잘 부탁할게."

미오…….

맞다. 지상과 비교하면 요란하지 않았기에 별로 주시하지 않았다.

"과연 미오 님입니다."

"이번 공방으로 결판날 거야. 쭉 봤는데 페닉스는 말야, 날개를 공격에 쓰더라고. 날갯짓하면 불꽃 깃털이 흩날리거든? 그게 음, 고속으로 주변 일대에 내리쏟아져. 지금까지는 미오가 전부 그물 장벽으로 막아서 먹어 치웠지만, 이번에는—."

라이도우의 해설대로 페닉스의 날갯짓으로 수백에 달하는 불꽃 깃털이 흩날렸다. 그 깃털들은 공중에 머무른 채 더욱 강하게 빛나고 있다.

저 공격을…… 매번 장벽으로 막아 냈다고? 앗? 먹어 치웠다?

나였다면 준비 만전의 상태에서 전력을 다했을 때, 한 번을 피하는 것이 고작이라고 단언할 수 있다.

그마저도 무사히 몸을 빼낼 수 있다는 생각은 도저히 안 든다.

갑자기 따끔, 눈을 태우는 강렬한 빛이 쏟아졌다.

무시무시한 수의 공격이 미오와 우리를 향해 내리쏟아졌다!

"—비틀려."

"전부 자신에게, 입니까. 저 기술에는 최악의 기억이 몇 가지 있지요."

느긋하게 해설을 이어 나가는 두 사람.

최악이 몇 가지나 있다니……. 대체 얼마나 비참한 기억일까.

라이도우와 시키의 말대로 내리쏟아지는 모든 공격이 궤도를 바꿔 미오 한 사람에게 향했고 전탄 명중했다.

그런데도.

미오는 여전히 온전한 모습이었다.

불타고 녹아내려서 아무것도 남지 않아야 했을 텐데. 분명 그런 결말을 맞이하는 것이 당연했을 공격인데도.

"양념을 해서 돌려드리죠."

미오의 말.

곧이어 페닉스의 비명이 울려 퍼졌다.

날개가……. 아니, 온몸에 검은 불꽃이 박힌 채 불타오르고 있었다.

……카운터 매직의 일종?

레프트 장군도 비슷한 느낌의 기술을 구사하지만, 자신에게 공격을 집중시키지는 않는다.

매끄럽게 지상에 착지한 미오의 뒤를 쫓아서 페닉스가 회오리치는 모양새로 추락했다. 여전히 검은 불꽃이 달라붙은 상태. 불꽃의 상징인 불사조가 불꽃에 좀먹히고 있는 기묘한 광경이었다.

힘겹게 꿈틀거릴 뿐 움직이지 못하는 페닉스를 힐끗 쳐다본 뒤 미오는 라이도우에게 꾸벅 머리 숙였다.

이쪽으로 돌아와서 정면을 보이는 미오.

무심코 숨을 죽였다.

얼마나 받아 냈는지 가늠할 수 없을 만큼 수많은 공격의 흔적이 눈에 들어왔으니까.

역시나 방금 전 공격은 전부 미오에게 명중한 것이 맞았다.

그리 튼튼할 것 같지는 않은 옷감을 쓴 의복인데도 대체 얼마나 강한 방어력을 보유했단 말인가. 군데군데 헤어진 자국 이외에는 눈에 띄게 파손된 부분도 없다.

미오가 방금 쓴 것은 자신이 받은 공격에 변화를 줘서 상대에게도 돌려주는…… 그런 기술이었을까?

압도적인 방어력이 갖춰졌다면 어쩌면 실전적인 기술이 될 수 있겠지만, 보통은 제정신으로 할 짓이 아니었다.

자신의 낮은 방어력을 보완하기 위하여 죽기 살기로 카운터를 극한까지 연마했다는 레프트와는 대극에 위치하는 전법이다.

"고생했어, 미오. 시키도 되게 열심히 했거든. 조수 역할로 조사를 도와줄 수 있을까?"

"나중에 같이 새 요리를 먹으러 가주신다면요."

"응, 알았어. 맛있는 가게 물어봐서 알아 둘 테니까 같이 가자."

"기대할게요! 자, 시키! 먼 곳 쳐다보지 말고 빨리 끝내버리죠. 도련님과 식사를 하러 가야 하니까요!"

아, 이자들에게 이 정도 사건은 일상 수준인 건가.

그러니까 당황하지도 않았던 거야.

위기감을 갖지도 않는다. 물론 역사적인 승리를 축하하지도 않는다.

차마 믿기지 않고, 아마 금방은 믿지 못하겠지만.

설령 마족과 전면 전쟁을 벌이게 되더라도 라이도우는 지금보다 아주 약간 더 난처한 표정을 지었다가 태연하게 준비를 시작하겠지.

그리고 마족은…… 틀림없이 멸망한다.

최악의 존재다.

여신이나 그에 준하는 힘을 가진 인물이 변덕 삼아 칼을 휘두르며 어슬렁어슬렁 세계를 돌아다니고 있다.

딱 맞는 표현이다.

아버님이 라이도우를 어째서 이렇게까지 후대하는지 조금은 이해할 수 있는 기분이었다.

협력하고 싶다, 이득을 얻고 싶다— 그것은 어디까지나 부수적인 목적에 불과했다.

최대의 이유는 적대하고 싶지 않다, 였구나.

라이도우를 적으로 두면 마족은 이후 어떠한 계획도 작전도 추진하지 못한다. 마족의 비원과 증오를 묵살하더라도 지금은 먼저 이 인물과 악수를 나눠야 한다.

잘 알았다.

아울러 내가 나아가야 할 길도.

마왕도 왕비도 아닌 아마도 나만이 선택할 수 있는 길이 보였다.

마왕의 자식으로서 모두에게 좋은 대우를 받아왔던 이 삶에 불만은 전혀 없었다.

나의 몸, 나의 마음은 나의 것이 아닐지니. 오늘만큼 이 같은 나의 은밀한 신념을 자랑스럽게 여겼던 날은 없다.

정령 신전이 평소와 같은 상태로 돌아왔을 무렵, 나는 이제 곧 볼 수 없게 될지도 모를 옛 수도의 풍경을 가슴에 새겨 넣으며 귀로에 올랐다.

4

"……이상이 이번 정령 신전에서 발생한 이상 사태에 대한 쿠즈노하 상회의 견해입니다. 쭉 곁에서 수행했던 저 또한 보고의 내용에 거짓은 없다 생각하는 바입니다."

"상위 정령까지도 평정을 잃게 할 만큼 뒤틀린 역장이 제단에서 발생했던 말인가. 명백하게 인위적인 수작이군."

"예. 시키 공이 말씀하시기를 공기에 녹아드는 촉매를 이용하여 며칠에 걸쳐 효력을 보강한 의식 마술로 짐작된다고 합니다. 범행은 아마…… 폐하께 반대하는 세력에서 저지른 것이 아닐는지요."

"틀림없겠지. 휴만 공작원은 애당초 이 도시에 발을 들이지 못할뿐더러 그 조직에도 여신의 신전에도 눈에 띄는 움직임은 없었다. 그렇다면 자연히 답은 좁혀지지."

밤의 연회를 기다리던 중 잠깐의 사이. 마왕 제프는 문관 몇 명과 측근이기도 한 마족의 장군 이오, 로나를 동반하여 어떠한 보고를 받고 있었다.

보고자는 마왕의 자식 두 명, 루시아와 사리다.

손님으로 맞은 쿠즈노하 상회 일행을 정령 신전에 안내하던 중 사건에 휘말리게 된 두 소녀는 발단과 해결까지 자초지종을 모두 목격한 뒤 성에 귀환했다.

보고를 마친 사리는 제프에게 받은 몇 가지 질문에 막힘없이 답했다.

제프는 사건의 흑막까지도 이미 알고 있었던 것처럼 사리의 말을 긍정했다.

"그나저나, 상위 정령이 둘이나 함께 나섰는데도 라이도우에게는 상처 하나 못 입혔다는 말인가. 마인(魔人)은 허풍이나 놀림거리로 붙은 이름은 아니라는 뜻이군. 듣자 하니까 그 이름의 유래가 된 전장에서 녀석의 일격에 네 자릿수 단위의 병사가 죽었다잖은가. 거참, 조금은 과장된 이야기였기를 바랐다만, 설마 과소평가였다니 기가 막히는군."

"……그자들의 힘은 대국에 필적— 아니요, 더욱 신중하게 생각한다면 이번 전쟁의 제3 세력으로 헤아려도 무방할 정도입니다. 아무리 폭주 상태였을지언정 미쳐 날뛰는 정령의 안뜰을 천연덕스러운 얼굴로 돌파한 데다가 베헤모스와 페닉스를 제압했으니까요."

"종자 한 명이 상위 정령과 버금가는 실력자라면 아주 부정하기도 힘들군. 그런데 로나, 네가 한 보고에서 시키라는 인물은 분명 기껏해야 강력한 리치 정도의 실력을 가진 것이 아니었던가?"

제프가 옆쪽에 앉아 있는 로나에게 말을 건넸다.

"예, 분명 시키는 랄바에게 빙의를 당한 인물이, 맞을 겁니다. ……역시 믿기지 않습니다. 분명 리치로서 녀석은 이미 성장 가능한 한계까지 힘을 끌어올린 개체였다고 판단을 마친 바 있습니다. 제아무리 강해졌더라도 땅 속성의 상위 정령을 이기는 것은 말이 안 됩니다. 언데드의 힘으로 베헤모스와 맞서 싸우다니요……. 횃불을 휘둘러 산불을 끄고자 하는 어리석고도 믿기지 않는 행위입니다. 무모하다는 말밖에 할 수 없습니다. 대체 녀석은 어떠한 일을 겪었을까요."

"얼마간 폭주 상태에 도움을 받은 부분은 있었을지라도 시키 공은 중간에 훌륭한 검술까지 같이 사용했고 금주 수준의 마술을 다수 동시에 행사하여 베헤모스와 대등하게 맞서 싸웠다. 접근전의 실력은 물론이거니와 강대한 마술까지……. 그런 인물이 리치라는 것은 믿기지 않더군."

이제껏 침묵을 고수했던 루시아가 로나의 당혹감이 묻어나는 말에 반응하여 시키의 전법을 언급했다. 체술을 구사하는 리치 따위 상식에서는 존재하지 않는다.

"검……. 더욱더 랄바의 이미지에서 벗어납니다. 아무래도 녀석, 시키에 대해서도 제가 이제껏 쌓은 인식은 전혀 통용되지 않는 듯합니다."

"음. 조사를 할 때는 온건하게 진행하도록. 강경 수단은 일체 금지한다."

"넷."

"그래, 사리. 정령분들은 뭐라 하시던가? 다시 제정신을 차리셨을 테지?"

"예. 그게, 입을 열자마자 곧바로 「본래 실력을 시험해볼 생각이었으니까 마침 잘됐다」라는 발언을 하시더군요."

"맙소사……."

이오가 기막혀하며 짧게 중얼거렸다.

"미오 공이 이따금 타박을 놓긴 했어도 기본적으로는 온화한 분위기로 대화가 이루어졌습니다."

"흠. 뭐, 제법 흥미를 보이셨던지라 앞서 고려했던 가능성이었다. 그다음은?"

미오의 행동거지는 더는 언급하지 않고 제프가 말을 재촉했다.

"결국 마지막에는 페닉스가 미오 공과, 베헤모스가 시키 공과 각각 곤란한 일이 있을 때 불러도 좋다는 계약을 맺었습니다."

"큭큭, 그런가. 거참, 점점 더 손댈 엄두가 안 나게 되는군, 쿠즈노하 상회."

"이후에도 몇 가지 대화를 더 나눈 듯했습니다만, 저와 언니는 보호한 생존자들의 상태를 보고 오라는 말에 자리를 뜰 수밖에 없었던지라 어떤 내용이었는지 알지 못합니다."

"괜찮다. 음, 아직은 대강이나마 이쪽에서 상정한 범위 안쪽으로 수습이 되고 있기는 한데……."

마치 예측을 확인하는 듯한 제프의 표정을 보고 사리가 커다랗게 눈을 떴다가 곧 입을 열었다.

"실례되오나 여쭙겠습니다. 폐하께서는, 정령 신전의 이변을 미리 파악하고 계셨던 겁니까?"

"……그렇다. 아니, 일말의 우려를 품고 있었던 정도였다만."

"이후 쿠즈노하 상회의 행동까지도요?"

"너희와 같이 휘말리면 간섭하리라는 예상은 했다."

"……그들의 실력도, 말입니까."

"그 점은 너희가 최대한 끌어내주리라 기대했다만……. 짐이 생각했던 범주의 이변이라면 문제없이 귀환하리라는 확신은 있었다."

"라이도우 공은…… 황당하게도 그 남자는, 베헤모스와 대치하던 중 페닉스까지 난입한 최악의 상황에서 「재수가 좋아」라고 말했습니다. 신전 한 곳을 덜 돌아 편해졌다고요. 폐하께서는! 그토록 강력한 힘을, 라이도우 공에게 감지하셨던 것입니까?!"

사리의 어조가 강해진다.

"……훗, 재수가 좋다? 무시무시한 말을 뱉는군. 그렇게까지 생각하진 않았다. 설마하니 상위 정령이 둘 모두 미치는 사태까지는 상정하지 않았어. 그리 심각한 사태임을 알았다면 짐이 스스로 군대를 이끌고 진압에 나섰을 테지. 실제 준비도 하고 있었다. 안 그런가? 이오, 로나."

제프의 말에 이오와 로나가 수긍한다.

그 광경을 보고 사리는 어딘가 안도한 모습으로 숨을 내쉬었다.

"그렇습니까. 실례했습니다, 저희는 단지 위험한 인물이라는 것밖에 파악할 수 없었던지라 폐하께서 얼마나 알고 계셨는지 극히 신경이 쓰였을 따름입니다. 무례한 발언, 용서를 청합니다."

"무례라는 생각은 전혀 않는다. 개의치 마라. 다만 금번의 사태에서 가장 큰 문제는 역시 시기로구나."

"시기요?"

"쿠즈노하 상회가 신전에 방문하는 일시를 전달받은 인물은 최소한으로 제한한 몇몇뿐. 그렇다면 쿠데타를 바라는 일당에게 정보를 흘린 누군가가 짐의 가까운 곳에 있는 셈이다. 상위 정령까지도 벗어나지 못한 정령의 폭주잖은가. 결코 발작적, 충동적으로 일으킬 수 있는 사건이 아니다. 이 같은 공작을 계획적으로 추진할 수 있는 실력자가 쿠즈노하 상회를— 짐이 초대한 손님을 표적 삼아서 끌어들였다고도 생각할 수 있다."

『?!』

일동이 긴장에 휩싸였다.

마왕의 발언은 이 자리에 있는 누군가가 「반란자」일지도 모른다고 말한 것이나 마찬가지인지라 무리는 아니었다.

"이런, 허, 이것도 봄까지는 정리하고 싶은 문제군. 쿠즈노하 상회만큼 급하지는 않을지언정 말이지."

미간을 누르며 탄식하는 제프에게 이오가 주뼛주뼛하며 의견을 제시했다.

"폐하. 손님이 무력을 쓰게 했는데 가만히 넘어간다면 저희의 체면이—."

"잘 알고 있다네, 이오. 그 부분은 어제 로나가 시키를 통해 저쪽에 이미 얼마간 말을 전해주었네. 안 그런가, 로나."

"예. 분명하게 전달했습니다. 다만, 엄연히 친선 시합의 대가였습니다만."

"조금 덤을 붙이고, 목록에 앞서 실권을 넘겨주겠다. 이제껏 본 바로 라이도우는 이 같은 수법에도 은혜를 느끼는 부류라고 생각되는군. 시키는 납득할지 알 수 없으나 상회에서 가장 큰 발언권을 가진 인물은 틀림없이 라이도우일 테니. 최악의 경우 녀석만 납득해주면 문제는 생기지 않는다."

"확실히……."

"그렇다 해도 도박을 할 수야 없지. 사실은 내부 살림이 빠듯하다며 하소연이라도 하면 적당하겠군. 이곳의 환경을 보고 마족이 풍족하다는 생각은 안 할 터이니."

제프가 웃는다.

이 왕은 벌써부터 쿠즈노하 상회에 대응하기 위한 방법을 자기 나름대로 강구하고 있었다.

장내에 감돌던 긴장감이 약간 누그러졌을 때 루시아가 화제를 바꿔 자신도 아마 참여하게 될 내일 행사에 대해 발언하고자 했다.

"그러면 친선 시합에서는—."

"잠깐."

마왕은 변함없이 웃는 얼굴로 말을 제지했다.

"먼저 둘에게 확인하고 싶은 사안이 있군. 오늘 동행했던 이후의 의견을 듣겠다. 지금 다시금 짐이 너희에게 라이도우에게 출가할 것을 지시하면 어찌하겠느냐?"

"문제없습니다."

루시아가 지체 없이 답한다.

"즉답인가. 마음이 참 빨리 변했구나."

"폐하께서 말씀하셨던 대로 그자는 가만 방치할 수 없습니다. 저 따위가 도움이 될 수 있다면 그 힘이 마족에게 향하지 않도록 전력을 다하겠습니다."

"흠……. 사리, 너는?"

"저는……. 라이도우 공에게 출가할 수는 없습니다."

"오호."

제프가 흥미진진하게 사리를 본다.

주위 인물들도 이제껏 굳이 따지자면 혼인에 긍정적이었던 사리가 거절의 말을 꺼냈다는 데 놀라는 모습이었다.

“아마 라이도우 공에게 혼약을 제안한들 역효과만 낳을 것이라 생각됩니다.”

“어째서인가? 아내를 취하는 것은 휴만이든 마족이든 친족이 됨을 의미한다. 예로부터 혼인은 종족 간 분쟁을 조정하는 유효한 방법 중 하나가 아니었더냐?”

“미오 공 때문입니다. 그분은 시키 공과 비교하면 무척 감정에 솔직한 행동을 하는 분이었습니다. 또한 라이도우 공을 사모하고 계시죠. 저는 그렇게 판단했습니다. 즉 혼인의 제안 자체가 달갑지 않을 것입니다. 만약 미오 공 혼자라도 은밀하게 마족을 방해하려는 생각을 갖는다면 심대한 피해를 면할 수 없습니다.”

“……그렇게까지 정을 우선하겠느냐? 명색이 라이도우의 측근인데도?”

“우선합니다. 쿠즈노하 상회는, 저희 마족의 조직과 비교하면 상당한 자유가 용납되는 것 받았습니다. 합의가 이루어지기 전에 사고가 발생하겠지요.”

“으음……. 조금 예상외구나. 쿠즈노하 상회는 바위처럼 굳건한 조직이며 아랫사람들도 라이도우의 의사와 결정에 절대복종하리라 생각했다만.”

“게다가 라이도우는 폐하께서 생각하시는 것보다 훨씬.”

“훨씬?”

“어리고 순진한 남성이라는 인상을 받았습니다. 적어도 평상시에서는요.”

“어리고, 순진하다?”

"예."

"따라서 혼인은 적절한 계책이 아니라는 건가. 목숨을 건 대결은 태연하게 해낼 수 있는데 정작 마음이 어리다는 말은 의문스럽다만……. 하지만 그날 밤 이야기에서도 확실히……."

"하지만 폐하, 저는 이미 씨를 뿌렸습니다. 오늘 곁에서 본 바로 혼인보다도 라이도우 공을 속박할 수 있는 계책이 되리라 생각합니다. 제게 맡겨주시면 안 되겠습니까?"

"사리!"

루시아가 엄한 어조로 질책했다.

쿠즈노하 상회와 라이도우, 양쪽 다 마족의 미래에 영향을 끼칠 수 있는 사안인 만큼 아직껏 수행하는 과정에 있는 루시아와 사리에게 주어질 만한 임무가 아니었다.

루시아의 말소리가 거칠어진 것은 지당하다.

하지만 제프는 감정을 일절 내비치지 않고 조용히 질문했다.

"사리…… 자신은 있느냐?"

"예."

"자세히 말해보아라."

"……나중에 다른 분들을 물린 뒤 아뢰고 싶습니다."

"……알겠다."

사리와 제프의 시선이 정면으로 부딪쳤다.

양쪽 다 진지하기에 끼어들 틈이 없는 분위기다.

제프가 시선을 뗀 이후에도 사리는 한동안 계속 왕을 바라봤다. 그러다가 살짝 고개를 끄덕이고 모든 발언을 멈췄다.

"로나. 방금 전에도 한 말이다만, 극히 제한된 범위에 배반자가 있다. 찾아라. 내일 시합에는 지장을 주지 말도록."

"……기필코 색출하겠습니다."

"그래. 이오, 친선 시합에 조금 변경을 가하겠다. 신전 관련의 사건이 전해질 것을 염두에 두고 관전 가능한 인물을 더욱 줄이고 싶군. 아울러 대전 상대도. 사리, 너는 짐의 방 앞에서 대기하거라. 루시아는 돌아가도 좋다. 또한…… 내일 시합에 넌 오지 말거라. 이미 마음이 꺾인 입장에서 봐도 참고는 안 될 광경일 테니까. 부대의 훈련을 맡길 테니 온종일 매진하거라."

제프가 지사하자 각각 수긍의 대답을 꺼낸다.

루시아도 입술을 꽉 깨물지언정 반론은 하지 않았다.

이미 눈앞에서 라이도우와 쿠즈노하 상회의 힘을 목격했던 만큼 구태여 시합까지 관전할 필요는 없었다. 그러한 제프의 의도가 과연 전해졌는지는 별개로 치고 루시아는 고개를 끄덕인 뒤 대답했다.

"이후의 저녁 식사에서 라이도우 공과 대화를 나눠야겠군. 비록 각오는 했던 손님이라지만, 정말이지 주인을 바쁘게 만드는구나, 저자들은."

"그렇게 말씀해주시니 고맙군. 라이도우 공은 이 도시를 구해준 것이나 마찬가지일세. 친선 시합을 수락해준 것도 물론 기쁘네. 아무리 머리를 숙여 인사해도 모자랄 지경이야."

"아, 아뇨, 아닙니다! 폐하께 이런 말씀을 들을 일은 아니었어요. 거의 다 종자들이 알아서 처리해준걸요. 루시아 씨도 사리 씨도 안 다쳐서 정말 다행이에요."

음~ 지금 제프 폐하가 옆에 있습니다.

가까워요.

임금님 옆이에요.

어제보다 더 음식의 맛이 안 느껴집니다.

게다가 배가 얼마나 부른지도 잘 모르겠어요.

마왕이 손수 요리를 덜어 담아주시는걸. 오늘 밤 연회는 어제보단 조금 규모가 작지만, 높은 사람만 잔뜩 참가한 것 같아.

나한테는 전혀 기쁘지 않은 분위기죠, 넵.

"폭주의 원인까지 지목해주지 않았나. 더욱 뽐내고 자랑을 해도 무방하네만. 음, 잔이 비었군. 늦게 알아차려서 미안하네."

"아뇨, 벌써 많이 마셨는걸요. 그러니까…… 잘 먹겠습니다."

넘칠 듯 찰랑찰랑 따라준 액체를 보고 포기했다.

이런 때엔 어떻게 거절하는 게 정답일까.

적당히 마시다가 내려놓았던 술잔을 가져올 생각이었는데 어딘가에서 누가 홀연히 빈 잔을 내밀어주고 폐하가 또 잔을 채웠기에 소용없었다.

두 손 들었다.

"폐하도 드세요."

"고맙네. 아니, 사실은 짐도 이렇듯 누군가와 술잔을 기울일 만한 기회는 적어서 말일세. 마치 라이도우 공이 아들처럼 여겨지는

군. 하하, 이를 어쩐다."

은근슬쩍 뭔 소리를 하는 거야, 이 아저씨가.

사실은 절대 안 취했잖아.

아침에 루시아 씨와 사리의 대화를 들었던 만큼 떠보는 말로 들릴 뿐이다.

"훌륭한 아드님이 두 분이나 계시잖아요, 아하하."

"로세와 셈을 말하는 건가. 분명 열심히 노력해주고 있지. 다만 우수한 교육으로 만들 수 있는 인재는 수재까지일세. 두 아이도 마찬가지지. 역시 라이도우 공처럼 비범한 재능은 좀처럼 나타나질 않아. 오늘 안내를 맡겼던 루시아, 게다가 사리……. 뭐, 사리는 아직은 조금 어리네만, 어떤가? 어느 한쪽을, 아예 둘 다여도 상관없네만. 혹시 데려가준다면 짐도 안심할 터인데."

……화제가 달라지질 않네.

이 아저씨가 진짜.

"농담이시죠. 저는 휴만인데요."

"힘 있는 자라면 상관없네. 첫 손주도 이쪽에 보내라는 말은 안 하도록 하지. 어떤가?"

어떻긴, 어떻겠어…….

결혼 생각은 애당초 있지도 않고.

"정말 감사한 제안이기는 한데 아직은 상인으로서도 미숙한 몸이라서요. 정중히 거절하겠습니다."

"……안 되는 건가."

"……예."

뭐라 말할까 망설이다가 분명하게 거절하기로 했다.

애매하게 둘러대도 물러나줄 것 같지가 않은걸.

"도저히 안 되겠나?"

"도저히 안 되겠는데요."

"음."

제프 폐하는 유감스러워하며 어깨를 축 늘어뜨리고 잠시 아무런 말도 꺼내지 않았다.

혹시 기분이 상한 걸까.

그렇다고 혼담을 얼렁뚱땅 수락할 순 없잖아.

"그러면 어쩔 수 없군."

불쑥 얼굴을 든 폐하가 아무렇지도 않은 목소리로 말했다.

"엑?"

"안타까우나 나의 딸아이는 라이도우 공을 사로잡기에는 부족했다는 말일세. 즉 매력의 부족. 힘이 미치지 못하는데 별수 있겠나. 이제는 정녕 포기해야지."

"네, 네에."

또 힘이야?! 대단하네, 어휴.

그나저나, 꽤 순순히 물러나줬어.

기쁜 반면에 조금 불안감도 솟는다.

이게 마왕의 품격, 아니, 제프의 품격인가. 무시무시하네.

"루시아는 단련에 꽤 힘을 쓴 아이라서 말일세. 벗으면 여자다워질 테고, 드레스 종류를 입히면 맵시가 제법 봐줄 만하다네……. 분명 여자임에도 군인 노릇을 하려니까 「그쪽」 방면의 수련은 게을리

한 부분은 있지. 이대로 두면 팔리지도 않을 듯하여 짐은 적잖이 불안하다네. 라이도우 공의 취향이기를 기대해봤네만 결국 어긋났군."

휴만이라면 여신의 축복을 받은 몸 덕분에 여성 군인도 딱히 드물지 않다. 아니, 축복의 능력 향상만 보면 여성이 효과가 높아서 오히려 더 많을 정도인데 아인 및 마족은 조금 비율이 줄어들더라고.

큰 차이는 아니라서 의외였는데 아마 마술의 존재도 관계가 있는 것 같다.

아무튼 간에 여성이 군부의 상층부에 있는 건 아인들 사이에서는 상당히 드문 게 맞다.

그래도 말야, 진짜로 피가 이어졌는진 잘 모르겠는데 자기 딸한테 뭔 소리를 하는 거냐고.

힐끔힐끔 시선을 보내도 이런 말까지 고개를 끄덕여줄 순 없다!

입으로는「어쩔 수 없다」라는 말을 하면서도 사실은 포기 안 했지?!

줄곧 붙임성 좋은 미소를 짓고 있어서 본심을 못 읽겠어! 치사하다!

"처음부터 길들이는 즐거움은 있다 생각하네만, 라이도우 공은 아직 그러한 수고를 즐길 만한 나이도 아니지."

이 아저씨, 아까부터 터무니없는 발언을 자꾸 꺼내는데 절대 안 취했을 거야.

"폐, 폐하. 조금 과음하신 게 아닐까요?"

실례가 되지 않도록 술 때문이냐고 두둔해본다.

"그렇다면 사리도 안 되는 건가. 녀석은 그야말로 이제부터 여자가 되는 단계이니. 신체도 미성숙하지. 지금 이 순간에만 즐길 수 있는 배덕감도 취향은 아니라고, 그런 뜻인가."

안 되겠다. 말이 멈추질 않아.

나중에 술 때문이었다고 변명할 생각이겠지만, 꽤나 큰 목소리로 외치는 게 되게 얄밉거든요.

화제에 오른 두 사람이 손을 멈춘 채 부들부들 떨고 있잖아.

실은 짓궂은 말장난을 엄청 좋아하나 봐, 마왕.

두 딸을 둔 츠이게의 렘브란트 씨도 이런 상황 다음에는 대체로 엄청 봉변을 당하던데.

각오는 하고 벌이는 짓이겠죠?

애원해도 안 도와줍니다?

"솔직히 사리 공과 결혼하라는 말을 들어도 말이죠, 느낌이 잘 안 오네요. 제 주위에는 왕족이나 귀족분들처럼 빨리 결혼한 분도 안 계셔서요……."

가능한 한 상식적으로.

하다못해 나라도 아가씨들 비위를 건드리지 않게 조심해야겠다.

"그럼 라이도우 공의 취향에 맞는 여인은 어떠한 여성이어야 하나?"

"제 취향 말씀인가요?! 으, 으음. 평소에는 털털한데 문득 여성스레 행동하는 아이라거나?"

"……오호라."

"늘 열심히 노력하는 한결같은 아이, 라거나."

"……."

"아뇨, 그냥 예를 들어서 한 말인데요."

무슨 소리를 늘어놓는 거야, 난.

과음했구나. 자꾸 술잔을 채워줘서 같이 마시려니까 조절이 잘 안되네.

"흠, 요컨대 미오 공이 그러한 성품을 가진 여성이라는 뜻인가?"

푸흡!!

폐하의 발언에 놀라 얼결에 뿜어버렸다.

스리슬쩍 미오를 본다.

이쪽 대화가 들렸는지는 잘 모르겠는데 미오의 등줄기가 부자연스럽게 쭉 뻗어 있는 것 같았다.

염화로…… 아니, 확인하는 것도 좀 우습잖아.

"왜죠, 왜 불쑥 미오가 나오죠."

"아니, 저토록 매력적인 여성이잖나. 당연히 손을 댔을 테니까 좋은 예시가 될 것 같아서 말일세."

누가 당연히 손을 댔다는 거야.

전혀 아니거든!

"미오는 부하입니다. 게다가 뭐라 표현할까요, 가족처럼 지내고 있는 사이니까요. 너무 뜻밖의 말씀이라서 실수를 저질렀네요. 실례했습니다."

뿜어낸 술이 식탁보를 더럽힌지라 사과했다.

지치네. 제프 폐하의 발언은 하나하나 다 방심할 수 없다.

분명 우리가 접대를 받는 술자리인데도 엄청 지친다.

"하하하, 실례를 운운하자면 속된 질문을 한 짐의 잘못이지. 나야말로 미안했네."

자각은 하고 있었구나……. 진짜 나쁜 아저씨네요, 어휴.

그렇게 말한 뒤 폐하는 의자를 이쪽으로 끌어서 몸이 밀착할 만큼 가까이 거리를 좁혔다.

곧이어 품에서 통 모양의 물건을 꺼내 들었다.

썩 크지는 않은 가늘고 긴 통이다.

아, 상장 종류를 넣는 동그란 통인가.

혹시 서류인가?

아울러 조금 두께가 있는 판지도 꺼내서 탁자 위쪽에 놓았다.

재질은 잘 모르겠는데 뭔가 새겨 놓았네.

표찰 같았다.

내용을 확인하려던 때 폐하가 설명해줬다.

"이건 말일세, 마족의 영내에 있는 모든 도시와 관문을 자유롭게 통행할 수 있는 통행증이라네. 몇 가지 종류가 있네만, 이것에는 마족의 군부 상층부가 소지한 것과 동일한 권한이 있지. 구체적으로는 거의 모든 도시와 관문을 자유롭게 출입할 수 있을 뿐 아니라 그곳에서 마족의 중추로 연락을 넣을 수 있네."

"네에."

꽤 대단한 급수의 통행 허가증이란 느낌인가. 주민의 이동도 철저하게 관리하고 있다는 뜻일까. 호적이 있다거나?

"그리고 이쪽은—."

나의 맞장구에 고개를 끄덕인 뒤 제프 폐하는 둥근 통에서 한 장의 종이를 꺼내 놓았다.

고급스러운 종이다.

내 위치에서 전부를 읽을 순 없었는데 이것저것 쓰여 있었다.

"짐의 이름을 걸고 쿠즈노하 상회에 마족령에서 면세로 사업을 인정해주는 권리일세. 정식 절차를 다 밟아서 발행한 서류이지. 이 도장은 마족 중에서도 짐밖에 사용할 수 없음을 두루 주지시켰으니 번거로운 분쟁도 일어나지 않을 걸세."

"네에, 쿠즈노하 상회에…… 쿠즈노하 상회요?!"

마족령에서 사업 허가?!

게다가 세금 없음?!

"그렇다네. 물론 먼저 보여준 통행증도 같이 드리도록 하지."

저 굉장한 통행 허가증도?!

혹시 이게 시키가 말했던「받을 대가」야?

앗, 아니면 신전 사건까지 포함한 답례인가?

저절로 시선이 빨려 들어간다.

"……."

"음, 나름 성의를 보일 생각이었네만. 부족했는가?"

"아뇨……. 너무 과분하여 놀랐습니다. 그렇게 대단한 일을 했었나 고민하던 참이었어요."

"친선 시합을 수락해주지 않았나. 게다가 신전에서는 이변을 수습해주었을 뿐 아니라 미숙한 아이들을 둘 모두 구해주었지. 그 답례도 겸하고자 했다네."

그렇다고 해도 굉장하다는 생각이 든다.

"추후에 목록을 정리하여 보내줄 텐데 큰 보상은 이제 하나 남았네."

더 남았어?!

게다가 원랜 목록이 먼저고 실물은 나중에 절차를 밟아 넘겨주는 흐름이었을 텐데.

제프 폐하는 중간 과정을 싹 건너뛰고 실제 권리를 먼저 넘겨준 거야. 꽤 무리해서 힘을 썼겠지.

폐하는 둥근 통에서 또 한 장의 종이를 꺼냈다.

설마…… 거짓말이지?!

나는 그것을 보고 무심코 눈을 의심했다.

"북쪽의 미개척지를 제외한 우리나라의 지도일세. 주요 도시, 도로를 모두 빠짐없이 기재했다네. 일부는 기밀 사항인지라 비워둔 정보가 있는 것은 양해해주기 바라네."

폐하의 말대로 그것은 스텔라 요새를 남쪽 끝에 둔 마족령의 지도.

내가 가지고 있는 휴만이 파악을 마친 지역의 지도와 연결되는 형태였다.

분명 군데군데 공백이 있기도 하고, 길이 중간에서 끊어진 부분도 있다.

그래도 명백하게 기밀에 속한 정보다.

틀림없이 나 이외의 휴만은 아무도 파악하지 못했을 정보였다.

덧붙이자면 켈류네온도 기재되어 있다.

폐하는 탁자에 펼쳐 놓은 지도를 다시 둥글게 말아서 사업 허가증과 함께 동그란 통에 넣었다.

"자, 이것은 이제 라이도우 공의 물건일세. 가능하면 폭넓게 활용해서 마족과 다른 아인의 도시에도 물자를 유통시켜주기를 바라지. 마음껏 이익을 봐도 상관없다네. 물론 내일 시합에서 보일 실력도 기대하도록 하지."

"저기, 열심히 하겠습니다."

굉장한 대가를 받았다.

어쩐지 시키가 시합을 받아들이도록 권하더라니.

실제 대결을 해도 이쪽의 수법이 썩 많이 노출되는 건 아니기도 했고, 이런 게 대가라면 명백하게 이득이 더 컸다.

"부탁하지. 자, 이제부터는 업무도 예의도 없이 즐기세나! 우선 방금 전 말이 나왔던 취향에 맞는 여성의 이야기부터……."

"그 이야기는 제발 참아주시죠!"

"어허, 안 되지. 신전에서 유례가 없이 활약해주신 손님을 치하하지 않고 어떻게 마왕을 자처하겠는가."

"이미 포상은 충분히 받았으니까요!"

"아니! 하다못해 딸아이 중 어느 한쪽만이라도."

얘기가 또 도돌이표다~!!

"아까 분명히 거절 말씀을 드렸잖아요! 애당초 업무 얘기가 섞여 있다고요, 지금!"

술과, 이야기와.

무한 루프 비슷한 밤이 깊어져 갔다.

5

뭐, 이렇게 되지 않을까 생각은 했죠.

마족 도시에서 머무를 날이 얼마 안 남은 오늘. 나는 친선 시합의 장소로 쓸 커다란 홀에 안내받았다.

성의 지하 통로를 한참 걸어서 도착한 이곳은, 바깥 둘레에 설치되어 있는 관람석만 봐도 전투를 감상하는 시설임을 알 수 있었다.

친선 시합장으로 쓰기에는 아주 훌륭하다.

물론 나도 새카만 어둠 속에서 눈보라를 맞으며 진행할 거란 생각은 안 했지만, 이렇게나 잘 준비된 장소가 있다는 것은 의외였다.

위쪽을 보면 상당히 높은 돔 형태의 천장이 이어지고, 정중앙에 있는 개구부로 영원한 밤의 하늘이 보인다.

아무튼 뭐가 「이렇게 되지 않을까」냐고 묻는다면—.

휑뎅그렁한 홀에 나 혼자.

지금 이 상황이다.

미오와 시키는 여기 없답니다.

상위 정령을 무사히 제압한 두 사람의 실력은 이미 충분히 잘 알려졌다. 따라서 오늘은 라이도우 공의 힘을 가볍게 증명해주는 정도로 끝내세나— by 짐.

요약하자면 저런 요청을 받았기에 종자 둘은 관람석에 앉아 있다.

마족 입장에서는 두 사람이 상위 정령 이상의 힘을 행사하면 대결장이 못 버티지 않을까 걱정도 될 테고.

게다가 받은 대가가 굉장했잖아.

응, 전국을 자유롭게 다닐 수 있는 통행 허가증이랑 우리 사업을 전폭 지원하겠다는 마왕님의 보증서다.

어디든 도시를 돌아다니며 시장 조사를 하는 것도 자유. 게다가 장사를 개시해도 세금은 안 떼어 간다.

마족령에는 아인이 무척 많으며 환경 때문에 물류가 원활하지 않지만— 그런 미지의 가능성이 있는 시장을 무료 개방해준 호의를 생각하면 상대가 희망하는 대로 내가 상대하는 게 도리다.

이번 친선 시합은 불운이 아닌 오히려 당연한 대가.

그런 생각으로 여기에 서 있다.

"자, 상대는 과연 누구일까요."

홀에 울려 퍼지는 안내 방송이 행사의 개회를 알린다.

대결장의 규모와 달리 관객은 의외로 썩 많지 않은 데다가 롯츠갈드의 대회처럼 열광적인 분위기도 없다.

대신 일거수일투족에 주목하는 진지한 시선이 내게 쏟아지고, 숨을 죽이게 되는 긴장감이 대결장을 감싸고 있다.

롯츠갈드의 강사 자격으로 몇 번, 그리고 일본에 있던 시절에 궁술을 선보이는 자리에서 몇 번 이런 느낌을 겪은 기억이 난다.

그리고 나의 정면으로 걸어오는 인영은 넷.

"엑, 상상했던 패턴 중 최악이야……. 역시 불운은 건재한가."

어제 분위기상 제프 폐하가 몸소 나타날 가능성도 생각했었지만, 역시 임금님이 다스려야 할 사람들 앞에서 패배하는 건 보기 안 좋잖아.

그 아저씨는 장난은 좀 쳐도 왕으로서 하지 말아야 할 일은 칼같이 안 하는 사람 같아서 별로 놀랍지는 않았다.

그나저나, 마족의 장군 전부인가.

이오와 로나는 뭐, 괜찮아. 레프트도 대강은 어떤 느낌인지 알아.

다만 마지막 한 사람은 잘 모르겠단 말이지.

결국 오늘까지 제대로 대화 나누지도 않았고, 저 사람이 입 열어 말하는 모습도 별로 못 봤다.

병원의 의사 선생님처럼 백의를 입은 더벅머리의 남자다.

어딘가 의사보다는 연구자 같은 분위기가 느껴지는 사람이었다. 담배가 잘 어울릴 것 같은 이미지.

마족 특유의 파란 피부는 아니고 뿔도 안 달렸으니까 아인이려나 생각했었는데 혹시 이 사람 휴만인가?

곧 우리는 야구 시합에서 인사를 하는 거리까지 서로 다가와 멈춰 섰다.

"……말해 두겠는데 난 휴만이 아니다, 라이도우 공."

백의의 남자가 한마디.

"아, 실례했어요."

쳐다본 걸 알아챘구나.

너무 티 나게 살펴보지는 않았는데 말이야.

"16분의 1쯤 아인의 피가 섞여 있다더군. 정작 종족의 이름도 난 알지 못한다만."

"……?"

아니, 잠깐만.

그러면 그냥 휴만이라는 말 아닌가?

부모면 하프, 조부모면 쿼터잖아? 거기서 위에 위에 아인이 달랑 한 명 있을 뿐이라면……. 휴만 맞네. 외모도 다를 게 없고.

"그렇군, 이야기로 들었던 사내가 맞아. 피와 종족, 외모에 전혀 개의치 않는군. 흥미롭다, 어떠한 교육을 받아 자라야 이렇게 된단 말인가.”

자기 핏줄을 설명해주길래 그게 뭐라는 거야, 라는 표정을 짓고 있었기 때문인지 남자가 미소 지었다.

“그냥, 사람은 모두 평등하다고요. 이미 잘 알고 계시겠지만, 저는 라이도우 미스미라고 합니다. 오늘 대결은 살살 좀 부탁드릴게요.”

“모크렌 카즈사다. 비록 시합이라지만 엄연히 진검 승부. 나 또한 적당히 상대하는 무례는 저지르지 않아. 이런 꼴이어도 나는 마족의 일원으로서 살아가는 몸이니까. 자네가 숨기고 있는 힘, 조금이라도 파헤치고야 말겠네.”

“하하, 하…….”

의외로 의욕 가득한 답이 돌아와서 나는 얼결에 쓴웃음으로 반응했다.

이 사람은 명백하게 전사가 아닌 술사다. 게다가 로나처럼 공작원 겸업 느낌이 아니라 순수한 술사의 냄새가 난다.

또한…… 누군가와 비슷한 분위기가 있었다.

이 느낌은 분명, 맞다. 연금술사. 하잘이라고 했던가……. 그립네. 그 녀석, 지금도 토야 씨 파티에서 유전자 레벨의 덜렁이 짓을 하고 있을까.

모크렌뿐 아니라 이오도 투기를 피워 올리는 모습이 척 봐도 의욕 가득이었다.

“라이도우 공과 맞서야 하는 자리는 오늘처럼 전장이 아니기를 부탁하고 싶군. 시합이야 언제든 환영한다. 사정 봐줄 것 없네. 서로 전력을 다해 싸우자.”

네 개의 팔에 특별 제작품임을 한눈에 알아볼 수 있는 완갑(건틀릿)을 장착하고 호전적인 얼굴로 웃고 있었다.

……천장은 뚫려 있으니까 최악의 경우 이 사람은 또 장외 로켓 펀치로 날려버리자.

"……."

로나는 아까부터 한 마디도 하지 않았다.

벙어리냐고.

—아, 이제 보니까 벌써 몇 가지 마술을 전개해서 숨겨 놓았네.

마술 제어에 바빠서 표정 관리만 열심히 하는 상황이구나.

대결의 막이 오르자마자 이것저것 날아오겠어.

창을 손에 든 레프트는 성의껏 머리 숙였다가 인사의 말을 꺼냈다.

"저번에는 연회 도중 자리를 뜨는 실례를 저질렀지. 나는 장군 레프트. 보는 바대로 마물에 불과하다만, 폐하의 도량 덕분에 장군의 지위를 하사받았다. 오늘은 폐하께서 인정하시는 귀공의 힘을 견식할 수 있어 기쁘군."

"밀디 드래곤이시군요. 강대한 힘을 가진 분이 많다는 말은 들었습니다. 잘 부탁드려요."

"음?! 밀디 드래곤에 대해 알고 계셨나. 박식한 분이시군. 나야말로 잘 부탁드리겠네."

……놀라는구나.

토모에는 일반 상식처럼 이야기하던데 희귀 정보였냐고!

"그럼 이제는 개시 신호만 기다리면 되네요."

『?』

내 말을 듣고 장군들은 무슨 이유인지 이상하다는 표정을 짓고 서로를 바라봤다.

"어라, 왜 여태 시작을 안 하죠."

자기소개를 하는 동안은 말 나누기 편하게 방송도 눈치껏 멈춰줬지만, 슬슬「파이트」라든가「땡!」소리가 날 타이밍 아니야?

"……라이도우 공. 오늘 우리와 시합을 하게 되었잖은가."

약간 당황하는 나에게 이오가 말을 건네줬다.

"네."

"상세한 말을 못 들었는가?"

"폐하께는「가볍게 힘을 보여달라」라는 말밖에."

"음. 그러면 대결에 대해 말해드리지."

"네, 여러분하고 싸우면 되는 거죠?"

『…….』

아, 아닌가?

"라이도우 공. 설마 우리와 한 번에 싸우려는 생각이신가?"

"네? 아니었어요?"

다시 침묵.

아니, 하지만 말야. 마족의 장군 중 이오가 가장 세다며? 그럼 일대일로 네 번 싸워도 의미 없는걸?

"이오, 폐하의 허락이 떨어졌어. 그렇게 진행하라시네."

뭔가 염화를 주고받는 눈치였던 로나가 이오에게 말했다.

"하지만 로나. 그 말은 너무나—."

"본인이 꺼낸 말이거든? 게다가 가볍게 힘을 보이려는 상대로 네 명이 필요하다고 말한 셈이니까 괜찮잖아. ……저기, 실랑이는 그만 좀 하자. 지금 집중하고 있으니까."

"……알겠다. 받아들이지."

이오의 한숨을 신호로 다른 장군들이 움직임을 보였다.

레프트가 앞쪽의 이오와 나란히 서고, 로나가 한가운데, 모크렌이 후방.

약간 이오가 앞에 나와 있지만, 포메이션은 2-1-1이라는 느낌인가.

미리 협의를 하지 않은 방식의 개전이었기 때문인지 허둥대는 목소리로 방송이 재개된다.

마족의 장군 네 사람과 나의 시합 개시를 알리는 말이 홀에 울려퍼졌다.

"그럼 시작은…… 불릿!"

바닥을 차고 후방으로 뛰면서 네 사람 각각에게 불꽃 불릿를 날렸다.

사정 봐줄 것 없다는 말을 방금 막 들었지만, 나도 진지하게 받아들이는 옛날의 내가 아니다.

우선 견제의 의미를 담아 위력도 속도도 많이 낮춰서.

"역시나 아주 당연하게 무영창이네! 모크렌, 부탁할게! 라이도우의 마술은 무영창이어도 완전한 위력을 발휘한다고 생각해!"

로나가 즉각 반응해서 주의를 촉구했다.

"문제없다. 술법의 고속 전개라면 나 역시 특기지."

역시 술사였구나.

모크렌은 손에 든 단검을 지팡이처럼 다뤄서 영창, 반대쪽 손은 손가락을 써서 영창……. 게다가 무성 영창도 병용?!

오오, 천재가 있다!

모크렌은 여섯 개 정도의 술식을 동시에 영창, 전개했다.

내가 날렸던 불릿를 전부 정확하게 튕겨 내는 장벽을 만들었을 뿐 아니라 또한 동료에게 지원 술식을 다수 걸어준 것 같았다.

마력은 아직 모크렌의 주위를 떠다니고 있으니까 뭔가 더 추가로 준비하는지도 모르겠다.

이렇게 솜씨가 좋은 술사는 오랜만에 봤다.

병행 영창 하나만으로도 굉장한 재주인데 마족은 인재층이 두껍구나.

“모크렌에게 할애할 여유는 주지 않는다!”

어라라.

거구에 어울리지 않는 순발력을 발휘한 이오의 주먹이 들이닥쳤다.

이미 회피가 가능한 타이밍이 아니야.

아무러면 공격하겠다고 미리 가르쳐주는 행동은 안 하는구나.

어딘가의 변태(루토) 용이 「마테리아 프리마」라고 억지로 이름을 붙인 마력체를 써서 공격을 막아 냈다.

겸사겸사 이오를 붙잡아서 구속, 밤하늘을 향해 냅다 던져버렸다.

보는 사람에 따라서는 합기도의 달인이 거인을 집어 던지는 광경으로도 보이지 않았을까.

……그냥 힘만 썼지만.

“끄어, 우오오오!”

멀어져 가는 이오의 거구와 비명 소리.

"다음은……. 레프트 씨였던가? 창술가는 오랜만이네."

이 사람도 전사 직업 같은데 억지로 낚아채서 확 던져볼까.

"미안하지만 저항해 보이겠다!"

오? 붙잡히질 않네.

쭉 뻗자마자 마력체 팔이 창날에 튕겨 나왔다.

아하, 이래서 카운터의 명수라는 건가.

바짝 다가든 마력체를 훌륭한 창 솜씨로 받아넘긴 레프트.

안 보이는 상태로 쓰고 있는데도 엄청난 감, 장인의 기술이다.

미오가 기술을 흡수하려고 들 만한 가치가 있어.

재미있네.

"앗?!"

레프트의 기술에 깜빡 정신이 팔려 쳐다보던 때 뒤쪽에서 충격이 전해졌다.

로나의 마술이다.

그러고 보니까 시합 개시 전부터 마술을 잔뜩 준비했었잖아.

첫 번째 공격은 딱히 마력체를 흠집 낼 만한 위력이 아니었지만.

곧 이어지는 또 다른 충격.

한곳만 쳐서 꿰뚫기 위해 로나는 아마 자신이 보유한 가장 공격력 높은 술법을 잇따라 쏘아 날리고 있다.

그리고 정면에서는 레프트가 창을 빙빙 휘두르다가 마술도 같이 날리는 등 공격의 손길을 늦추지 않는다.

앞뒤에서 협공을 받는 상황이야.

두 사람을 동시에 상대하기는 어려운걸.

그럼 레프트부터.

로나는 술식을 다 소모하면 물러날 테니까.

"불릿!"

무영창으로 나 자신의 손에서가 아닌 마력체의 끝부분으로 불릿를 다섯 발 날렸다.

열심히 창을 휘두르던 레프트의 손이 멈추자 전방에서 오는 공격이 멎는다.

뭐, 불의의 기습이니까 제대로 대응하기는 힘들겠지.

그럼 이제는 로나다.

"붙잡혀줄 순 없다고!"

로나는 재빨리 거리를 벌리더니 놀랍게도 내 마력체의 일부에 발을 얹어서 원래 장소로 돌아갔다.

"한 발짝 늦었네. 제법이야."

아니지, 이런 상황이면 「나를 발판으로 썼다?!」라고 말하는 게 좋았을까.

"나한테 시선을 빼앗기면 위험할 텐데?"

"어? 으앗?!"

강력한 충격이 다섯 번.

마치 시키 수준의 술사……. 앗, 이거 내가 날렸던 불릿잖아.

그런가, 전부 레프트한테 반사를 당했구나.

자기 술식에 얻어맞는 건 조금 신선한 느낌인걸.

나는 미오가 기술을 시험할 때 참가하지는 않았었고.

“무섭도록 정확한 공격이다. 하지만, 그런 까닭에—.”

“아니, 그다음 말은 좀 자제하죠?!”

레프트가 내 공격을 보고 로봇 애니메이션 비슷한 대사를 꺼내려고 해서 얼결에 반사적으로 제지했다.

—앗?! 엄청난 압박감(프레셔)!

위쪽?!

“이미 늦었다!”

이오?!

“돌아왔다?!”

“두 번이나 얼간이같이! 당하지는 않는다!!”

낙하의 힘을 공격에 완벽하게 실은 주먹이 마력체와 접촉한다.

파문이 퍼져 나가듯 충격이 주위에 전해졌다.

하지만 이오의 눈은 끝을 고하지 않았다.

곧장 반대편 손으로 일격, 마지막으로 발차기도 더해서 로나와 똑같이 마력체를 걷어차 거리를 벌려 멀어졌다.

충격파가 관객 쪽까지 위력을 발휘하고 있다.

마력체, 안 보이게 쓰고 있는데 말야.

느낌이 짠 오는 타입일까, 네 사람 모두.

이러면 계는 은폐가 아니라 강화에 쓰는 게 나으려나.

“이오 공 같은 신체로 훨훨 하늘을 날아다니면 안 될 것 같은데요…….”

“훨훨이 아니었다! 어쨌든, 몹시 비참한 꼴로 당해버렸군!”

말투에 꾸밈이 없어졌다. 이미 완전히 배틀 모드구나.

하면 다 해내는 천재였냐, 너도.

“자, 슬슬 때가 왔구나, 로나.”

“그래, 빈틈없이. 계책을 성공시켜도 딱히 보람이 없네, 라이도우「공」은.”

로나가 자기의 허리 부근을 손가락질하며 나한테 미소 지었다.

허리?

로나의 손짓을 따라 시선을 떨어뜨렸다.

앗?!

뭔가 까만 게 마력체에 달라붙었네?!

내가 보고 있는 동안에도 순식간에 팽창한 그것은 당장에 터질 것처럼 표면에 검붉은색을 띤 균열을 드러냈다.

셋, 두울, 하나아, 제로라는 느낌이야.

친선의 뜻과 거리가 먼 위력의 마술 전개를 감지하고 나는 즉각 계를 은폐에서 강화로 전환했다.

강렬한 충격과 폭발음, 흑색과 적색의 빛이 시야를 뒤덮는다.

시한폭탄의 마술 버전?

흉악한 위력이다.

계를 강화로 전환했는데도 마력체가 제법 손상됐어.

위력 이상으로 마력을 깎아 먹는 효과가 있는 술법 같은데 혹시 이게 로나의 비책이었나?

리미아 때도 저 녀석은 뭔가 숨기고 있는 분위기였다.

실제로 이게 비책이 맞는지는 저 녀석의 표정을 보고 짐작할 수밖에 없나.

그런 분야는 서툴지만.

폭연과 빛이 가시기를 기다린다.

다만 그것은 악수였다.

발밑에서 마력의 발동을 느낀다.

로나는 이미 술식을 남겨 놓지 않았을 텐데.

앗! 맞다, 모크렌이라는 사람도 있었다.

네 명이 같이 싸우니까 아주 악질이야, 장군들.

마왕의 사천왕은 사이 나쁜 게 철칙인데!

“의식 마술에는 이런 방식도 있지. 제2형「개량 진눈깨비」.”

모크렌의 목소리가 들렸다.

주위에 마구 몰아치는 가느다란 바늘 비슷한 공격 때문에 마력체가 또 손상을 받는다.

의식 마술이라고 말했지.

확실히 대규모 야전 같은 상황에 사용할 만한 수법이야. 개인에게 쓰는 종류와는 일선을 긋는 위력의 술식 계통이다.

병행 영창뿐 아니라 이런 마술까지 혼자서 쓰는 건가.

근데 난 성도 아니고 군대도 아니거든!

일개인이지!

불평을 쏟아 내는 동안에도 가는 바늘은 마력체를 깎아 먹었고 게다가 철썩 붙어서 얼음으로 바뀌어 갔다.

이대로 움직임을 막아 굳혀버릴 셈인가.

카렌으로 분장했던 무렵의 로나가 쓴 얼음 마술보다도 버거운걸.

괜히 떠올리게 되네.

"그러면 다들, 떨어지게. 후우……."

모크렌이 한층 더 집중 상태에 들어간다.

아직도 뭐가 남았나?

"제3형 「개량 추락의 별」."

시야가 제대로 안 보이는 상태가 이어진다는 게 난처한걸.

다만 마력체는 일부 얼어붙었지만, 강화용 계를 더한 상태이니까 어지간히 강한 공격이 아닌 한 괜찮아.

일단 술식은 보고 싶기도 하고 얼어붙은 마력체를 풀어낸 뒤 주위를 싹 쓸어버릴까.

그러다가 의식 마술도 쓸려 나가면 일석이조다.

손상을 받아 얼어붙은 마력체의 유지를 멈춘 뒤 불 속성을 더해서 해방. 로나의 마술에 지지 않는 폭발과 충격이 나를 중심으로 발생했다.

곧장 새로운 마력체를 구축해서 상황을 확인한다.

장군들은 방어 태세에 들어갔다.

레프트에게 향했던 열파 일부가 이쪽으로 되돌아왔지만 문제없다.

아무튼, 방금 전 의식 마술은…… 어떻게 됐지.

방향을 탐지한다.

또 위쪽인가.

뭐더라, 「개량 추락의 별」이었나? 이오보다도 버거운 녀석이 떨어질 것 같지는, 않지, 만.

올려다본 내 눈에 확 들어온 것은…… 용암?!

질척질척한 마그마를 두른 5미터 정도의 새빨간 바윗덩이가 나를 목표로 공중에서 떨어지고 있다.

역시 의식 마술이다. 스케일이 달라.

"아무리 급해도 친선 시합에서 쓸 마술은 아니죠, 이건!!"

저절로 불평이 튀어나왔다.

"아직껏 상처 하나도 없는 자네가 상대라면 적당하다는 말밖에 못 하겠군!"

모크렌의 표정은 날려야 할 상대에게 날려야 할 마술을 썼다, 그렇게 말하는 남자의 얼굴이었다.

"꽤 자신 있는 마술이었는데도 멀쩡해. 대체 얼마나 단단한 거야……. 나뿐 아니라 이오와 레프트의 공격도 듬뿍 모아서 한 번에 터뜨렸는데. 이제는 좀 예의상 화상 한 번은 입어달라고!"

무슨 황당한 소리냐!

이게!!

"화상으로 끝날 리 없잖아앗!"

완전히 구현화한지라 다른 여러분들의 눈에도 잘 보이게 됐을 마력체의 커다란 팔을 양쪽 다 쭉 뻗어서 용암구를 붙잡았다.

"이럴 수가……. 경감도 회피도 아닌, 장벽을 펼치는 것도 아니라, 잡아챘다? 불타 녹아내리는 거대한 바윗덩어리를?"

……그러게, 피하면 그만이었네.

모크렌의 망연자실 혼잣말을 듣고 불현듯 후회가 스쳤다.

"하나~ 둘, 카운터!"

붙잡은 용암구를 장군들에게 던져 돌려줬다.

"어디가 카운터냐!"

레프트가 반박하며 큰 목소리로 외쳤지만, 당하기 전에 붙잡아서 도로 던져줬으니까 어엿한 카운터가 맞다. 아마도.

"전홍옥(纏紅玉), 레프트, 움직이지 마라!"

"맡겨주시라!"

방금 전 말로 네 개의 건틀릿 중 하나가 강하게 빛을 발하며 이오의 몸이 새빨개졌다.

지, 진짜 제대로 슈퍼 로봇 같은 사람이구나. 날아다니는 것도 모자라서 타입 체인지 비슷하게 신기한 기능까지 있는 장비를 쓰는 건가.

외형이 어쩐지 불에 강할 것 같은 분위기가 된 이오가 네 개의 팔 전부로 내가 던졌던 5미터 정도 크기의 바위를 콱 받아 냈다.

아무리 건틀릿을 장비했어도 거의 맨손 비슷한 상태일 텐데.

슈퍼 로봇의 화신이다.

모크렌과 로나, 후위 두 사람은 직선상에서 이미 피난을 완료.

양쪽 다 그냥 물러나는 게 아니라 지원 술법을 전개해서 이오와 레프트를 강화해주고 있다.

손이 빠르구나.

레프트는 이오가 받아 낸 용암 구체를 몹시 집중하는 표정으로 쳐다보다가 이내 손에 든 창을 찔러 넣었다.

그 일격을 맞은 용암구가 다시 한 번 나에게 빠른 속도로 날아든다.

"피구냐!"

이보세요. 이렇게 쭉 던지고 잡고 던지면 끝이 안 나잖아요.

아까 모크렌의 말을 따르자는 건 아니지만, 지금은 회피하는 게 무난하…….

“안 되지. 정정당당하게 겨루자고. 라이도우 공.”

도망치려고 시선을 준 공간에는 이미 모크렌이 나타나 있었다.

“모크렌, 공. 어느 틈에.”

“술사에게는 전이라는 이동 수단이 있지. 최약이지만 나도 장군이잖나. 로나에게 혼나지 않을 정도로 이것저것 쓸 줄을 안다.”

“그, 손에 든 종이는 뭐죠?”

모크렌이 손에 들고 있는 것, 마술이 발동되기 직전이라고 감지되는 종이에 대해 일단 물어본다.

큰일 났다.

다리가 멈춰버렸어.

“미리 영창을 해서 주입하는 형식의 마술. 나는 부적술이라고 부르고 있는데 원하는 대로 부르도록. 자, 우리가 예측했던 전개다. 어떻게 타개할지 지켜보겠다. 나와라, 개량 추락의 별, 복제.”

모크렌이 용암 구체를 또 하나 만들었다.

다시금 협공.

협공을 진짜 좋아하는구나, 장군님들!

어쩔 수 없지, 받아주자.

두 개의 용암이 아주 약간의 시간 차이로 내게 들이닥친다.

첫 번째.

장군들이 없는 방향을 골라 주먹을 쥔 손등으로 후려쳐서 튕겨 날렸다.

또 반사하면 귀찮으니까.

다음, 빠르다.

가능하면 위로 튕기고 싶었는데 이쪽은 한쪽 팔로 받아 내야겠다.

강도는 마력체가 위니까 밀리지 않고 잘 버틴 다음은 평범하게 막을 수 있다.

좋아, 아마도 가능할 거야.

곧장 한쪽 팔을 커다랗게 만들어서 야구 글러브로 캐치하는 느낌을 살려 용암 구체를 둘러쌌다.

섣불리 잡아 뭉개려다가 성대하게 폭발이 일어나면 난감하니까 전체를 잘 감싸 저항을 억누른 채 힘줘서—.

"폐하!"

—그때, 이오의 목소리가 울려 퍼졌다.

폐하? 조금 놀라서 이오가 시선을 준 방향을 본다.

아, 내가 첫 번째 구체를 후려쳐 날린 방향이다.

그곳에는 인영이 하나.

분명, 마왕이었다.

대체 무엇을…… 아차, 객석인가?!

저대로 외벽에 격돌하면 관객에게 피해가 발생할지도 모른다.

하지만 폐하가 직접 요격을 할 생각인가 봐. 보니까 움직이는 데 걸리적거리는 망토를 벗어 놓았다.

멀리서나마 마왕의 신체가 보인다.

굉장하네. 격무에 시달리는 임금님인데도 몸이 신기하게 탄탄하다.

엄청 단련을 한 느낌은 아닌데 전사가 본업이어도 고개를 숙일 육체였다. 무시무시한 홀쭉 마초.

제프 폐하가 허리에 찬 검을 뽑았다. 어라? 주 무기는 분명 창이라고 어젯밤 말을 들었는데.

그나저나 아름다운 동작이다. 나도 한 손으로 용암 구체를 받아내는 와중인데 다 잊고 무심코 시선을 빼앗겨버렸다. 창을 가장 잘 사용할 뿐 만능 타입이었던 건가.

게다가 발도와 영창을 동시에 수행하고 있다.

영창은 발도를 마치고도 계속 이어지고 있는데 양쪽 다 엄청 능숙해.

저건 오로지 반복 수련에 의해 가능한 움직임이다. 쭉 수련을 해온 나는 확신할 수 있었다.

그러니까 마왕이 온몸으로 발하는 자신감에도 동의할 수 있다.

대처 가능하다는 자신감.

좋은 기회다. 마왕의 힘을 보도록 하자.

눈앞에 닥쳐든 용암에 맞서 폐하가 손에 든 검을 역대각선으로 번쩍 올려 베었다.

검 다루는 솜씨가 장난 아니야.

가지고 있는 검도 기술을 견딜 만큼 보물이었고, 동시에 마왕의 기술을 온전하게 발동시키기 위한 촉매의 역할도 하고 있었다.

그렇게 마왕의 앞에 닥쳐든 용암 구체가 일순간에 사라졌다.

이 세계에서 내가 봐왔던 광경 중 가장 잘 완성된 무기와 마술의 융합이었다.

검과 동시에 쓴 술법은 장벽.

다만 접촉한 물체를 싹 지워버리는 거의 쌍소멸 비슷하게 흉악

한 특성을 보유했다.

마왕 제프는 장벽, 또는 비슷한 계통의 술법을 극한까지 연마한 전사인가.

문득 깨달았을 때 나는 용암을 꽉 쥐어 압축해서 없애버린 뒤였다.

신기한 기분이 든다. 저 기술은 나의 활과 같을지도 몰라.

쭉 한길에 매진한 결과 생겨난 힘.

경의인지 공감인지 판단할 수 없는 정말이지 기묘한 감각이었다.

"그만!"

시합 종료를 알리는 제프 폐하의 목소리.

"라이도우 공, 훌륭하네. 마족이 자랑하는 장군 전원을 상대로 대등하게 겨루는 솜씨, 실력은 이곳에 있는 모두가 똑똑히 보았을 테지. 아주 훌륭한 시합이었다. 추후 포상을 드리도록 하지. 그러면—."

다만 발언은 끝까지 이어지지 못했다.

"힘의 망자에게 신벌을!!"

불쑥 하늘에서 들려온 목소리가 폐하의 말을 지워버렸다.

동시에 뭔가가 잔뜩 떨어지는 기척이 느껴지더니 굉음과 함께 작렬한 빛이 홀을 가득 채웠다.

장군들은 이미 폐하의 곁으로 이동을 시작했는데 나는 뭐가 어떻게 된 일인지 알 수 없어서 일단 방어에 전념했다.

미오와 시키의 접근을 느낀 것은 거의 곧바로였다.

◇◆◇◆◇

"되게 요란한 등장이구나."

천장이 날아간 탓에 갑자기 실내가 아닌 야외로 바뀌어버린 홀을 둘러보며 중얼거렸다.

그나저나 감탄스럽네.

찰나의 순간, 장군들은 제프 폐하를 지켰고 폐하는 홀의 객석을 지켰다.

물론 모두를 다 완벽히 지키지는 못했고 몇 명쯤 희생이 발생한 것 같았다. 그만큼 커다란 파괴 규모였다.

먼지가 잔뜩 날리는 데다가 잔해물도 잔뜩이라 훌륭한 지하 홀이었던 방금 전 광경은 온데간데없었다.

계로 확인하니까 이미 주위에 관객의 기척은 없었고, 다들 성으로 피난하는 것이 느껴졌다.

우수하고 신속한 대응이다.

난 지금 대신 등장한 십수 명의 완전 무장한 마족들을 보고 있었다.

「힘의 망자에게 신벌을」이라는 말을 한 녀석들이다.

이 파괴 행위도 저 사람들 짓.

정령의 폭주는 인위적인 결과였지. 아마 저 사람들 짓이겠네.

"도련님, 무사하셨군요."

"정령 사건에다가 이제는 테러까지. 마족의 경비는 의외로 별로 대단할 게 없네요. 이러면 저도 나설 수 있으니까 별로 상관없지만요."

"둘 다 고마워. 확실히 제국보다 사고가 많네, 마족의 도시는."

곧장 달려와준 시키, 미오에게 답례의 말을 건네고 제프 폐하에게 시선을 준다.

마왕의 옆쪽에도 희생자 한 사람이 쓰러져 있었지만, 테러리스트와 대치 중이라서 그쪽을 우선하느라 치료에는 손을 못 대고 있다.

부상을 당했는지 옆구리에서 꽤 많이 피를 흘리며 의식을 잃은 로나. 이쪽은 옆에 모크렌이 붙어서 치유 마술을 걸어주고 있다.

장군도 부상을 당할 만한 공격이었구나. 아니면 폐하와 장군을 노린 공격이 추가로 더 있었던 걸까.

거기까지는 나도 파악하지 못했다.

"정말이지 장소도 때도 가리질 않는군, 너희들은."

"제프. 네놈의 압정을 끝내기 위해서라면 우리는 수단을 가리지 않는다."

무장 집단의 대표와 폐하가 대화 나누고 있다.

자기 주장이랑 가치관을 내세워 말싸움이라도 하려는 걸까.

지금이라도 잘 협상해서 평화적인 해결 방법을 찾는 전개는 아마 없겠지만.

무장 집단이 기선 제압은 성공했지만, 실력은 마왕 및 장군들이 분명 압도적인 우위에 있다. 이제는 저 사람들이 사전 준비를 얼마나 잘 마쳤느냐에 따라 어떻게 굴러가든 상황이 바뀔 것이다.

다만…… 뭔가 기묘한 힘의 흐름이 느껴지는 게 마음에 걸렸다.

그게 뭔지는 아직 잘 모르겠지만 말이야.

"짐의 압정이라. 알 수가 없군. 애당초 우리에게 여신 이상의 압정이 대체 있기는 한가? 짐은 오히려 마족의 존속과 해방을 위해 정치에 힘쓰고 있다. 맹세코 사심은 없이 말이지."

"사심이 없다면 모든 것이 용납되리라 생각지 마라. 네놈은 여신 이상의 압정은 없다고 걸핏하면 말을 지껄인다만, 애당초 신의 의지와 정치가 무슨 관계인가. 사람의 치세와 동렬에 두어 논하는 것은 오만에 불과하다."

"짐을 죽이고 여신을 받아들이는 것이 마족의 존속으로 이어진다는 말이라도 하려는 건가?"

"물론."

"……근거는 뭔가."

"우리도 여신님께서 창조해주신 종족이다. 총애의 폭은 좁을지언정 오늘 이날까지 존속을 허락해주셨지. 그것이 무엇보다 분명한 근거다."

굉장하다. 마족 중에도 이렇게까지 학대를 당했는데 아직 여신을 신앙하는 패거리가 있을 줄은 몰랐어.

현재 상황에 불만을 호소하며 전쟁을 일으켜도 이해해주지 않아. 그뿐 아니라 용사를 데려와서 박살 내려고 드는 상대인데.

광신자라는 생각밖에 안 든다. 이해 불가능이야.

중용이랄까, 세계에 필요로 하는 사람이 있다면 응해주겠다는 스타일의 땅과 불의 정령이 오히려 신앙 대상으로는 훨씬 더 적당한 것 같거든. 나라면 이쪽을 모시겠어, 틀림없이.

"확실히, 어쩌면 여신은 우리에게 한 조각 동정을 베풀어줄지도 모른다. 그 결과 한 줌의 소수 마족이 휴만에게 예속된 처지에서 삶을 부지할 수 있도록 허락받을지도 모르지. 저항하다가 멸망당할 가능성과 비교하면 확실히 존속이기는 하다. 하지만 너희들은 그러한 미래로 마족을 인도할 텐가? 자식에게, 손주에게, 여신의 부조리한 편애를 용서하라고 명할 셈인가?"

제프 폐하의 어투는 비록 차분했지만, 바닥을 가늠할 수 없는 분노가 느껴졌다.

그 벌레 여신이 자기가 사랑하는 휴만을 이렇게 잔뜩 죽인 마족을 과연 용서할지는 뭐라고 말을 못 하겠다.

바보 자식이니까 잘 떠받들어주며 열심히 신앙하면 제프 폐하가 방금 말했던 상황도 아주 불가능하지는 않겠지만 말이야.

"네놈은 마족을 온 세계에 해를 끼치는 존재로 변모시켰다! 세계는 신의 은총 아래에서 적어도 큰 난리는 없이 평온했는데도 불구하고!"

한편 대표자도 폐하에게 기죽지 않고 떠들어 댔다.

"네놈은 휴만을 침략하여 토지를 빼앗았고 여전히 전쟁을 계속하고 있지! 그리고 우리 마족을 대할 때조차 오래된 악한 관습을 고치려 하지 않은 채 묵인하면서 온갖 생명을 마구잡이로 써먹고 있지 않은가! 그 죗값은 신하들과 함께 만 번을 죽어 치러야 한다! 우리 마족은 그럼으로써 비로소 휴만에게, 아인에게 스스로의 만행을 사죄할 수 있다!"

"들어줄 가치가 없군. 마족의 의사는 짐과 함께한다. 그 결과 전쟁이라는 길을 선택한 것에 불과하지. 애당초 전쟁 이전이 좋았다 떠들면서 전쟁 이전부터 있었던 마족의 관습을 악행으로 치부하는 것은 이미 말 자체가 모순 아닌가?"

"그렇다면 사람을 적성과 능력으로 속박하여 직업의 자유도 주지 않는 것은 행복인가?! 일정 연령까지 험한 환경에 적응하지 못한 아이들을 솎아 내는 것은 행복인가?! 강한 자조차 자신이 평생 함께할 상대 하나도 선택하지 못하고 나라의 관리를 받는 것이 행복인가?! 태어난 지 약간의 시간밖에 지나지 않은 아이를 재능이 있어 보인다는 이유로 빼앗겨야 하는 부모가 넘쳐나는 이 나라는 행복한가?! 모두 네놈이 묵인하고 있는 일이다, 제프!! 대답해라!!"

이게 마족의 폐단인가. 으음…….

잠깐 간격을 두고 제프 폐하가 입을 열었다.

"묵인하지 않았다."

"말로 얼버무릴 셈인가? 명색이 마왕이라는 작자가!"

"묵인이 아니다. 실상, 짐은 적극 나서서 인정했다."

"뭐, 라?"

…….

폐하가 어떻게 말을 이어 나갈지 일개 청중으로서 궁금하다.

예상과 전혀 다른 대답이 나와서인지 무장 집단의 구성원들이 당황하는 것을 알 수 있었다.

"스스로의 적성과 능력을 살려 자신이 살아가는 사회에 공헌하는 것이 어디가 잘못됐나? 주변 환경에 견디지 못한 아이가 식량만 축내며 누워 지내다가 일할 수 있는 자까지 굶길 바에야 짐이 모든 책임을 짊어지고 손을 쓰겠다. 이 관습은 풍족한 도시에 사는 주민이나 아인에게는 굳이 강제하지 않으나 존속시키기를 바라는 도시 및 마을에 짐은 일절 개입하지 않는다. 강한 인물이 다음 세대에도 자신의 강함을 남기는 것은 나라에 대한 당연한 공헌이다. 강자의 힘을 한 세대에 끝내는 것이 오히려 국가 차원의 손해이지. 또한 마지막, 부모 자식의 문제를 언급했던가. 가장 뛰어난 자가 왕으로서 백성을 인도하는 것은 마족의 숙명일 뿐. 굳이 원망하겠다면 짐이나 마족 사회가 아닌 마족으로 태어난 불운을 한탄하거라."

"……농부의 자식이 아주 대단한 사람이 됐군."

"평범하게 농부를 천직 삼았다면 어땠을까 하는 생각도 안 해보지는 않았다. 너야말로 마족을 이끌어야 할 명문 귀족의 자식이 가문을 망쳤을 뿐 아니라 국가에 반역하기까지……. 아주 대단한 추락이군."

"……하다못해 네가 우리의 악한 관습만이라도 의문을 갖고 대처해주었다면 혹여나 손을 맞잡을 수 있었겠지. 뜻은 완전히 엇갈렸구나."

두 사람, 아는 사이인가? 서로를 꽤 자세히 아네.

"동감이다. 약자의 보편적인 구제는 짐의 정치에는 없다. 어차피 일시적인 협력으로 끝났을 것은 자명하지."

"대체 언제까지 힘과 선택받은 자에게 의지하는 정치가 지속될 것 같나?"

"달콤한 말에 취하여 스스로 예속되고자 하는 자는 영원히 알지 못하리라. 그보다 이곳까지 직접 왔다는 것은…… 각오는 되었을 테지?"

"네놈이야말로 정령의 폭주만이 우리의 계책이라 생각하지는 않았을 터. 여유의 근원은 곁에 데려다 놓은 **괴물**인가? 다만, 기꺼이 보여주겠다. 네놈들이 알지 못하는 의지를 증명하는 방법도 있다는 것을."

"괴물? 쿠즈노하 상회의 분들을 그리 칭했다면 실례를 사죄하라. 나라를 멸하게 만들 우행은 너희도 바라는 바가 아닐 터인데."

괴물 정도야 꽤 자주 들은 말이라서 전 별로 신경이 안 쓰이는군요.

그럼 차라도 한잔? 권유를 받는다면 절대 사양이지만 말이야. 테러나 하는 분들하고는.

"좋군. 차라리 잘된 일이야. 지금 마족의 나라 따위야 한 번은 멸망해야 마땅하니까."

"……그렇다면 그 무례는 짐이 대신하여 사죄하도록 하지. 어리석은 자들의 목을 늘어놓고 말이다. 이오, 레프트."

호명을 신호로 제프, 이오, 레프트까지 세 사람이 견제는커녕 느닷없이 속공. 정말이지 훌륭한 솜씨로 전원의 목을 날려서 10초도 지나지 않아 결판이 났다.

이오는 숫제 맥주병 주둥이를 날리는 곡예 비슷한 기세로, 손날로 잘라버렸다.

솜씨가 좋고 부지런하며 또한 천성의 재능을 가진— 진짜 까다로운 거인이구나, 이 사람은.

"계책도 쓰지 못한다면 의미 없군요, 폐하."

한숨 돌렸다는 듯이 이오가 꺼내는 말에 제프 폐하는 반대로 표정에 긴장감을 드러내며 답했다.

"아니, 목숨을 바친 시간 끌기였던 것 같군."

응. 나도 뭔가 발동된 걸 느꼈어.

아까부터 희미하게 감돌던 기묘한 힘이 뚜렷하게 윤곽을 드러내고 있다.

중심이 된 장소를 살펴보다가 잔해의 산에 숨겨 둔 모양새로 바닥에 푹 꽂아 놓은 덕지덕지 장식이 붙은 지팡이를 발견했다.

저거네.

"지팡이? 이미 발동이 시작된 것 같은데."

"저 물건은, 왕홀? 설마! 미오 님, 발동을 방해할 수 있겠습니까?!"

지팡이를 확인한 시키가 불쑥 다급한 목소리로 외쳤다.

"그쯤이야 간단…… 응? 이상하게 낡고 강해요……. 어라, 취소가 안 되네?"

"그렇, 습니까. 아뇨, 어쩔 수 없습니다. 만약 저것이 제가 생각하는 물건이 정말 맞다면 만에 하나의 확률로 귀찮은 사태가……. 뭐, 만에 하나이니 괜찮으리라 생각은 듭니다만."

시키는 저 물건의 정체를 뭔가 아는 눈치였다.

"시키, 저게 뭐야?"

"……아마도 엘리시온의 신기입니다. 이미 분실되었다 알려진 용군왕홀이라는 물건 같군요."

"용군, 왕홀?"

"엘리시온의 왕가에 대대로 전해지는 용을 소환하는 왕홀입니다. 이런저런 설화가 있는 물건이며 나라의 함락은 비록 막지 못했습니다만, 강대한 힘을 지니고 있습니다."

용을 소환한다?

엘리시온, 용……. 어라, 뭔가 마음에 걸리는데.

“강대해 봤자 마족한테 이미 져서 엘리시온은 멸망했잖아. 시키가 당황까지 할 물건이야?”

“……저 신기는 강대한 마력이나 그에 필적한 피, 생명으로 발동됩니다만……. 발동 결과가 무작위입니다.”

“……무작위?”

테러리스트 사람들, 마지막 비책이 다른 나라의 신기였냐. 그냥 남의 힘에 기대는 행동이고, 게다가 발동 결과가 무작위라면 목숨을 던지러 온 셈이나 마찬가지잖아.

늘어놓는 말도 기분 나빴는데 하는 짓 계획하는 짓 전부 다 정말이지 이해할 수 없구나.

“……잘 알고 계시는군. 시키 공은 참으로 박식하시네. 저것이 바로 엘리시온의 신기, 용군왕홀. 레지스탕스를 자처하는 녀석들의 비책일세.”

제프 폐하가 이쪽으로 걸어오며 말을 건넸다.

이오, 레프트도 뒤를 따라오는데 세 사람 모두 다수의 목을 손에 들고 있었다.

“폐하.”

“우리의 내환에 휘말리게 하여 차마 사죄도 못 드리겠군.”

“아뇨. 그것보다 저 왕홀은 가만 놔둬도 되는 건가요?”

물어보자 폐하는 고개를 가로저었다.

이 사람도 용군왕홀을 알고 있었던 것 같았다.

존재가 아닌 소재를 말이지.

"이미 무엇이 소환될지는 운에 달렸을 뿐. 이 자리에 있는 인원의 행운을 빌 뿐이네."

"운에 달렸다……? 혹시, 최악의 경우는요?"

행운이라는 말에 불운의 결과부터 걱정하는 게 나의 천성.

"상위 용을 제외하고 온갖 용이 이 자리에 소환되어 미친 듯이 날뛰게 될 걸세."

뭐야, 완전히 지옥도잖아.

아니, 상위 용이라도 없는 게 감지덕지인가.

"온갖, 인가요?"

"그렇다네. 세계의 용이 한자리에 모인다더군. 뭐, 시키 공이 말씀하셨듯 그 확률은 만에 하나라고 알려졌네만."

"그래서 용군이구나."

만에 하나의 확률이 진짜라면……. 0.01퍼센트?

맙소사, 저런 확률에 왜 목숨을 걸어요.

척 봐도 반석과 같은 제프의 체제를 무너뜨리려면 그럼에도 시험할 가치, 매달릴 의미가 있었던 건가?

"……사실 용군을 쓴 최고의 결과라고 알려진 것은 지난날의 사례에서 비롯되었을 뿐. 짐은 더한 위기가 있지는 않을까 걱정했네. 다만 그 부분도 모크렌에게 조사를 맡긴 결과, 혹여나 있더라도 그야말로 만에 하나의 이하. 불가능과 다를 바 없는 확률이라더군."

0이 잔뜩 붙을 것 같아.

다행이다, 대충 안전하다는 뜻이네.

그럼 곧 튀어나올 용을 적당히 때려눕히면 끝인가. 내가 조용히 안도하던 때…….

"큰일 났군요."

"심상치 않아요."

시키와 미오가 뭔가 불온한 말을 중얼거렸다.

"뭐가?"

"도련님이라면 뽑을 수 있는 확률입니다."

"맞아요. 보통은 평생 살면서 만나지 못할 존재를 겨우 1주일 사이에 두 번이나 만나는 분인걸요."

평생 살면서도 못 만날 존재를 두 번? 혹시…… 토모에랑 너를 말하는 거니.

확실히 1주일도 안 걸렸었지. 확률은 상당히 낮았겠다. 오히려 대부분의 사람은 첫 번째 때 죽었을 테니까.

"둘 다 은근슬쩍 너무한 거 아냐?"

미오 나름의 농담이더라도 지금 이 자리에서 진지한 얼굴로 말을 꺼내니까 꽤 **부담**이 된다.

"보세요."

"응?"

미오의 시선과 손이 가리키는 곳을 봤다.

지팡이에서 기세 좋게 쏟아지는 금색의 빛이 일직선으로 어둠을 베어 가르며 하늘로 빨려 들어갔다.

……엥?

대낮처럼 강렬한 빛을 온몸으로 받아 냈다. 언제나 어두운 마족령에서 이렇게 밝은 광경은 오랜만이었다.

일순간 감았던 눈을 떠서 옆쪽에 있는 제프 폐하를 본다.

처음 이 사람이 진심으로 조바심을 내비치고 있었다.

미간에는 깊이 주름이 졌고, 험상궂은 표정으로 빛을 바라보고 있다.

방금 전 대치할 때보다 더욱 강력한 마력을 몸에 두른 채 불의의 사태에 대비고자 방책을 강구하는 듯 보였다.

그나저나 이 느낌. 금색의 빛에서 느껴지는 기세.

……그 자식이다.

이어졌다.

엘리시온, 왕홀, 용.

그 자식밖에 없어.

1등 당첨이, 아니, 꼴등에 꽝이 **그 자식**이었나.

"이 상황은, 사실상 일어날 수 없다는 결론이 나올 만큼 처참한 확률이거늘? 애당초 용군에 더한 위기가 있으리라 가정해서 확률 조사를 시켰던 것은 만전을 기하기 위함이었다……. 상위 용이 소환되다니, 이럴 수가……."

폐하의 말에 마음이 찔렸다.

눈부신 빛의 중심에서 커다란 용의 실루엣이 모습을 드러낸다.

서양의 용. 사람처럼 두 다리로 서 있는 모양새.

그론트를 뛰어넘는 거구와 그 거대한 몸을 더욱 커다랗게 보이게 하는 날개.

게다가 한 쌍이 아니다.

세 쌍의 크기가 다른 날개가 저 용의 특징이었다.

"……루토."

저 변태 자식.

무슨 생각이지, 내 적으로 돌아서겠다?

"루토라고. 실재했던 건가……. 모든 속성을 보유한 조화의 용. 천룡, 조상룡이라고도 불리는 상위 용의 정점. 그런데, 대체 왜, 여신과 쌍을 이루는 예우마저 받는 존재가 비록 신기라지만 사람이 다룰 수 있는 도구의 소환에 응한다는 말인가."

제프 폐하가 쓰디쓰게 중얼거렸다.

지당한 반응이었다.

이 사람이 얼마나 사태를 파악하고 있었는지 지금은 알지 못한다.

하지만 왕은 현실적으로 일어날 수 있는 범위 안에서 대처해야 한다.

신뢰하는 부하가 현실적으로 일어날 수 없는 확률이라며 도출한 숫자를 두려워해서 대책을 강구하는 것은 쓸데없는 짓이고 비현실적이다.

……반대로 낮은 확률을 이용해서 뭔가 시도한다면 이해할 수 있겠다. 예를 들어서 적대 세력에 일부러 쓸데없는 희망을 안겨준다거나 말이지.

제프 폐하는 그런 왕이다.

선택에 따라 전진하고, 그럼으로써 잃는 대가와 위험성이 있다는 것도 잘 안다. 이 같은 방식을 전부 공감하지는 않아도 이해할 수는 있었다.

'……와~ 오랜만이네, 마코토 군. 지금 상황을 좀 설명해주면 고마울 텐데 말이야.'

지금 분위기에 어울리지 않는 긴장감 싹 빠진 목소리가 들려왔다.

염화다.

상대는 한 명밖에 없다. 주위의 긴장감은 여전히 계속 높아지고 있으니까 나한테만 들리는 것 같네.

'루토. 굳이 마족령까지 튀어나왔겠다? 나랑 싸우고 싶었던 건가?'

'마코토 군하고 싸우다니?! 아냐아냐아냐……. 앗, 설마 왕홀의 대상이.'

'제프 이하 나를 포함한 것 같은데?'

'어이쿠~. 난처하네……. 설마 먼 옛날 왕홀에 재미 삼아서 설치했던 내 소환이 지금 발동될 줄이야. 있잖아, 마코토 군. 실은 어딘가에서 확률의 악마랑 계약이라도 한 거 아니야?'

'불행을 불러들이는 계약을 누가 하겠냐. 안 그래도 여기에 온 다음부터 질리게 불행 실감 중이라고, 난.'

'……눈 딱 감고, 아픈 건 참을 테니까 살살 부탁할게.'

얼간이 같은 말과는 달리 루토는 흉악한 무지개색 광구를 만들기 시작했다.

커다란 입을 벌리자 그 앞에 온갖 힘이 모여든다.

'아프게 하기도 귀찮으니까 불가항력이면 돌아가!'

'아하하, 무리야. 이 소환은 절대적이거든. 나도 인정사정없는 일격을 강제로 날려야 하는 처지야. 결국 자승자박이네. 너도 특

기였지.'

'놀리지 마라. 그럼 하다못해 무슨 짓 벌일 생각인지 알려줘. 뒷일은 이쪽에서 어떻게든 해볼 테니까.'

'아, 든든하네. 반할 것 같아. 또 반했어! 아무튼, 뭘 할 거냐면 말야. 여섯 속성의 혼합 산탄 브레스라는 느낌일까? 근처에 있는 성이나 도시 정도는 여유롭게 싹 날아가버릴 거야.'

가볍게 흉악한 발언 꺼내지 말라고 따지고 싶다.

'……너 말야. 한 방 날리면 돌아가는 거야?'

'맞아. 왜냐면 원래 소환수는 그런 느낌이랬거든. 서방님이 즐겼던 게임에서.'

'용의 장난기를 가만 놔두면 안 된다는 걸 깨달았어.'

루토의 말을 긍정하듯이 다수 속성이 기묘하게 뒤얽힌 힘이 모인다. 게다가 상한 따위 존재하지 않는다고 생각될 만큼 부쩍부쩍 높아져 간다. 이런 힘이면 확실하게 지형이 바뀌겠구나.

과연 이 사태가 정말 내 불행이 불러들인 결과가 맞는지는 알 수 없다. 어쨌든 이러다가 마족의 도시가 소멸되면 안 될 것 같아.

죄송해요, 제가 재수 없는 녀석이라서요— 라고 사죄할 수밖에 없다. 그리고 사과로 끝날 리 없잖아.

전쟁에 협력하려는 뜻은 없지만, 이래저래 좋은 대우를 받았다. 그게 힘을 높이 평가했기 때문이더라도.

"설마, 이러한 실책을 범할 줄이야……."

장벽을 전개하며 제프 폐하는 쓴웃음 짓고 있었다.

유감이지만 이 사람도 전부를 막아 내지는 못한다.

브레스가 끼칠 여파를 생각해봐도 저 사람들이 세울 대책만 믿어서는 도시가 절반은 싹 날아가겠어. 사망자는 절반을 훌쩍 뛰어넘을지도 모르고.

그리고 장벽이 없는 도시의 바깥은 훨씬…….

"……."

아까 용암구 때 폐하가 선보였던 쌍소멸 같은 기술은 나의 마력체— 루토가 마테리아 프리마라고 부르는 것으로는 불가능하다.

받아 내는 것도 튕겨 내는 것도 아마 가능하지만, 위력을 다 죽이질 못하니까 반드시 주변에 막심한 피해가 발생한다.

게다가 산탄이라는 게 골칫거리야.

커다랗게 전개하면 마력체의 밀도가 떨어져버리니까.

귀, 귀찮다.

차라리 아즈사로 저 녀석 주둥이까지 꿰뚫어서 브레스 발사를 저지……. 아니, 그렇게 하면 이곳을 중심으로 거대 크레이터가 만들어지는 게 확정인가.

못 쓰는 방법이네.

마왕 쪽 사람들과 거리를 벌려서 두 사람과 상담을 시작했다.

"미오, 어떻게 하는 게 좋을까?"

"피난하면 그만 아닌가요?"

아공으로, 라고 눈으로 말하고 있다.

우리는 전혀 안 다칠 테니까 피난 장소로는 최고다. 드라이 앤드 쿨의 의견이었다. 어떤 의미론 백점 만점이네.

"……시키는?"

“……마술이란 이미지의 산물이기도 합니다. 도련님의 마력체 또한 마찬가지죠. 그 연장선으로 시도하면 일단 도련님께서 생각하고 계실 성공을 기대할 만한 수단이 아주 없지는 않습니다. 다만 저도 피난을 권해드리고 싶은 심정입니다. 마족에게는 불행한 사태이오나 인과응보이기도 합니다. 일단 이렇게 된 요인의 존재는 앞서 파악했었다잖습니까. 결과를 받아들이는 것 또한 힘의 이치에 따르는 삶이라고 말할 수 있겠지요.”

뭔가 어려운 말을 꺼내는데 방법이 있긴 있구나.

그럼 시도해볼까.

어차피 난 저거 맞아도 안 죽으니까 실패해도 내가 잃는 건 없다.

“시키, 그 방법 자세하게 알려줘. 미오도 도와주고.”

“시도하시렵니까. 그러면 먼저 저는 마왕 폐하께 허가를 받아오도록 하겠습니다. 루토 공도 아직은 더 힘을 끌어올리려는 모양이니까요.”

“도련님께서 결정하셨다면 저는 기쁘게 도울 따름이에요.”

시키가 제프 폐하의 곁으로 향한다.

내가 뭔가 시도해서 실패할 경우 마족이 가장 큰 봉변을 당할 테니까 당사자한테 확인은 받는 게 맞지.

혹시 아무것도 하지 말라는 요청을 받아도 얌전히 아공에 피난하면 그만이니까.

로나는 변함없이 같은 상태고, 모크렌은 계속 치유에 매달리고 있다. 상당한 중상인가 봐.

그래도 시키는 못 빌려준다.

이제부터 내가 할 일에 같이 협력해줘야 하니까.

"여섯 속성의 혼합 산탄이라. 뭐, 시키의 작전을 전력으로 실행할 뿐인가."

빛을 발하는 루토를 쳐다본다.

"두 사람의 공동 작전이네요. 도련님."

미오의 들뜬 목소리가 조금 마음을 누그러뜨려줬다. 아니, 참가자는 일단 세 사람인데?

6

'……요컨대 무슨 뜻이야?'

시키가 정성껏 설명해줬는데도 곧장 염화로 되묻고 말았다.

아니, 일단은 엄청 열심히 들었거든? 대강 이해도 했단 말이야. 다만 마무리 단계에서…… 응, 아주 조금, 핵심의 2할 정도가 아직 좀 헷갈릴 뿐이야.

마왕님과 장군들은 뭔가 지시를 보내느라 바빠서 딱히 우리에게 할애할 여유가 없는 것 같아.

그래서일까, 시키가 전한 제안도 단숨에 통과됐다.

저 사람들은 이미 가능한 한 피해를 줄이는 방향으로 움직이는 중이라 내가 뭘 시도하든 손해는 아니라고 판단해줬다.

시키가 말하기를 행동하는 데 문제는 없다고 한다.

'할 일만 말씀드리자면 요컨대 마술이 아닌 물질로 마력을 승화시킴으로써 도련님의 마력량을 더욱 잘 활용할 수 있다는 뜻입니다.'

'마력체를 아예 진짜 물질로 바꾸라는 소리야?'

지금도 영창을 완성 전 단계에서 아슬아슬하게 운용하고 있는 셈이니까 이대로 술식을 완성시키자면 마지막 키워드만 살짝 더해도 간단하게 끝나겠지만……. 물질이라?

어려울 것 같아. 강력한 마도구를 만들 때와 비슷한가?

'예. 자질구레한 보조는 제가 맡겠사오니 도련님께서는 오로지 루토 공의 저 공격을 여파 없이 막아 낼 만한 물체의 이미지를 강하게 떠올리며 집중해주시면 됩니다.'

여파 없이 말이지.

그렇다면 방패나 돔 같은 이미지가 좋을까? 이런 때 이론을 설명해줘도 곧장 이해하고 깨닫는 건 어렵다.

그냥 대놓고 말하자면 이유는 싹 날려버리고 뭐를 해라, 하는 식으로 단순하게 알려주는 게 훨씬 더 편하다. 시키가 생각한 대로 행동하겠다는 의사는 이미 밝혔으니까 더더욱.

어쨌든 간에 루토의 무식하게 센 브레스를 막을 대책은 결정됐다.

미오가 맡아줄 역할도 이미 결정됐고.

"알았어, 일단 해보자. 밑져야 본전이라잖아, 도전해볼 의미는 있어. 미오는 저 공격이 나한테 집중되게 끌어와줘."

"가능하면 아예 없애버려도 괜찮을까요?"

"물론이야. 가능한 만큼만, 무리는 하지 말고."

"알겠습니다. 전력으로 해볼게요."

귀엽게 주먹을 불끈 쥐는 동작은 평소 미오가 잘 안 보여주는 모습이었다. 느낌 괜찮네. 긴장도 살짝 풀리고 딱딱했던 몸이 부드

럽게 움직여진다.

진짜 든든하다니까.

'환담 중 미안한데 말이야. 슬슬 위력 올리는 게 한계거든. 다음 페이즈로 들어갈 거야. 좀 있다가 쏜다~.'

방정맞은 염화를 보낸 녀석은 엄숙한 빛 속에 있는 용. 그래, 루토다.

'……쏜다~ 라니, 누구 약 올리냐! 분위기 파악도 못 하는 변태 자식. 어차피 쏜 다음 사라질 테니까 아주 무사태평하구나!'

'미안하다는 생각은 있어. 진짜 진심으로. 이대로 쏘면 알이 된 홍리가 또 죽어버리는걸? 이번에는 마코토 군한테 상당히 큰 빚을 진 셈이지. 근데 말이야, 스스로도 저항할 수 없는 지극히 강한 강제력을 부과함으로써 이 브레스는 내가 쓰는 범위 공격 중 최상급의 위력을 발휘하는 기술이 되거든. 실제 이렇게 쏠 날이 올 줄은 생각도 못했으니까……. 조금 두근두근하지 않아?'

앞쪽은 진지한 말투였는데 뒤쪽은 아주 뻔뻔하다.

응. 얜 진짜 답 없는 녀석이야.

다시 실감했다.

여기에서 홍리의 알을 배달한 산까지 거리가 얼마나 먼 줄은 아냐고. 거기까지 피해가 간다면 이미 소환수 이러쿵저러쿵할 효과 범위가 아니잖아.

'뭐가 두근두근이냐, 남 일처럼 떠들지 마라. 하다못해 자세하게 효과를 설명하고 가!'

'아까도 말했지만 여섯 속성의 혼합 산탄이야.'

'그럼 넌 어째서 위를 보고 있는데?'

브레스라면 이쪽으로 입을 겨눠서 콰앙~ 날려야 하잖아.

그런데 루토는 지금 얼굴을 획 들어서 입을 위로 향하고 있었다.

벌린 주둥이 끝 부근에 있는 막 폭발할 기세였던 광구가 조금씩 입을 벗어나서 두둥실 상승한다.

엄청 불온하다.

'그건 말이야, 더욱 범위를 넓히기 위해서야.'

'……그럼 왜 네 입 주변에 새로 다른 힘이 생성되고 있는데.'

'최종 공격력을 더욱 높이기 위해서야. 용과 대치했을 때는 포효가 터져 나오는 게 정석이니까.'

'……그게, 포효 준비였냐?'

그러고 보니까 상위 용의 포효라면……. 맞아본 게 그론트 씨밖에 없는 것 같아.

내 학생들은 가장 낮은 등급의 용이 터뜨린 포효에도 트라우마가 생긴 것 같았는데 지금 루토가 힘을 토하면 과연 어느 정도의 위력일까?

'한마디 덧붙이면 더 멋지게 연출하고 싶어서 시간 차 공격도 채용했어. 장엄한 분위기가 잘 어울리잖아, 이 기술은. 스킵 안 하고 끝까지 보고 싶어지는 화려한 공격이 목표야!'

'지금 네 남편을 진심으로 때려주고 싶다.'

끝까지 게임을 하듯 온 주변에 전략급 파괴를 감행하겠다고?

그렇게 한창 대화를 나누던 중에 루토의 날개가 빛 속에서 한층 더 강한 빛을 발했다.

'……슬픈 말 하지 마. 아마 너랑도 이야기가 잘 통했을 멋진 남자였단 말이야. 이게 마무리 불꽃놀이의 **첫 시작**이야. 물론 마코토 군을 다치게 할 위력은 아니지만. 뭐, 느긋하게 즐기다 가.'

루토가 맨 처음 만들어 냈던 무지개색 구체가 상승을 계속하며 구름 속으로 사라졌던 그때.

일대에 진동이 퍼져 나갔다.

뼛속까지 뒤흔드는 중저음 속에 휩쓸린 듯한 떨림.

동시에 온몸을 엄청 불쾌한 뭔가가 세차게 압박했다. 감기 기운으로 느끼는 오한과 비슷하다.

조금 늦게 돌풍과 함께 미쳐 날뛰는 짐승의 비명 소리가 내 귀에 들렸다.

확신한다.

이게 저 자식의 포효인가!

'미오, 시키, 괜찮아?'

'물론이죠.'

'……조금, 버겁군요. 끔찍한 압박감과 끊임없이 상태 이상을 부여하는 폭풍. 이 위세라면 저항이 약한 사람은 이미 죽음을 맞이했을 것 같습니다.'

변함없이 여유 가득한 미오와 달리 시키는 웬일로 살짝 약한 소리를 늘어놓았다.

스스로에게 피해가 없기 때문일까. 나는 루토의 포효가 썩 대단한 위협이라는 생각은 안 들었다. 이런 감각이 보통 사람과 다르다는 것은 나의 약점이기도 하다.

그래도 시키의 말에 조바심을 느꼈다.

이 포효는 효과 범위에 따라서는 더욱 상황을 악화시킬 테니까. 현재 시점에서도 이미 평범한 사람을 죽을 위기의 재난이다.

'루토! 이거, 포효의 효과 범위는 어디까지야?!'

'…….'

'야, 무시하냐!'

'…….'

쳇!

트랜스 상태에 들어간 걸까. 루토는 하늘 한 지점을 쳐다보며 입만 벌리고 있다.

이쪽의 염화에 아무 반응도 움직임도 나타내지 않는다.

마지막으로 한 말이 「마무리 불꽃놀이」라니. 진짜 끝까지 까불거리는구나, 저 자식!

마무리 불꽃놀이라면 맨 처음 만들었던 광구를 말한 게 맞겠지?

음, 잠깐만. 불꽃놀이?

저 말이 진짜라면 지금 하늘 높이 올라간 구체가 곧 뻥~ 터져서 꽃을 피우는 건가?

……산탄이니까?!

악질이네!!

'미오, 미안한데 저 자식이 날린 브레스 공격, 상당히 넓은 범위에 떨어질 것 같아. 대처하려면 열심히 쫓아다녀야 할 텐데 잘 부탁할게.'

'네, 맡겨주세요.'

다음은, 시키한테 슬슬…….

그렇게 생각을 하던 때 제프 폐하한테 염화가 날아왔다.

'폐하, 무슨 일이세요?'

루토의 다음 움직임을 경계하면서 염화에 대답했다.

여기저기 지시 내리느라 바쁠 텐데 도대체 무슨 볼일일까.

'라이도우 공. 만색의 용이 터뜨린 포효 말이네만, 그쪽에서 대처는 가능하겠는가?'

'아뇨. 저희도 저 녀석의 다음 움직임을 경계하는 상황이라서요. 포효를 막을 수단까지는…….'

'……아니네. 저항을 유지하는 데 무언가 도움을 줄 일은 없을까 묻고자 한 말이었네만, 역시나 불필요한 걱정이었나 보군. 무엇을 할 생각인지는 알지 못하나 조금이라도 성과를 거둬준다면 그것만으로도 영웅일세. 아무 걱정도 하지 말게나. 마음껏 힘을 써주시게.'

마왕님한테 직접 정식으로 허가를 받았다.

안심이네.

'할 수 있는 만큼은 해보겠습니다. 그러면 이만.'

'그래, 바빴을 텐데 미안하네. 위압, 마비, 석화, 공황 유발, 쇠약 속성의 레벨 5에 해당하는 저주병, 정신 질환 속성의 레벨 6에 해당하는 저주병, 신체 능력 저하, 마력 효과 감쇠……. 더 많이 있을 터이나 파악을 마친 것만으로도 기막힌 수의 효과를 가진 포효일세. 이미 희생자도 발생했지. 철저하게 주의를 기울여주게. 라이도우 공과 종자분들은 무리하지 말고 자신들의 안전을 최우선으로 확보해도 무방하네. 그런 전제로 자네들의 건투를…… 아무

쪼록 빌어드리겠네.'

'……네. 배려에 감사드립니다.'

……루토.

너, 제대로 짜증 나는 공격 방법을 만들었구나.

포효에 하필 저주병을 끼워 넣다니.

내가 저주병을 얼마나 싫어하는지 네가 알든 모르든 상관없다.

아무튼.

난 지금 너의 공격을 무조건 박살 내주겠다고 생각했어.

의지가 마구 솟아난다.

'그럼 도련님, 곧 쏟아지게 될 루토의 공격을 막아 흩뜨리는 이미지를 온전히 마력체에 전달해주십시오. 오직 한마음으로 강하게 심상을 떠올려주시면 제가 뒤따라 보조하겠습니다.'

'알았어. 미오는 공격에 대비하고 주변 정보를 파악해서 나랑 시키한테 링크로 전달해줘. 시키는 보조랑 루토의 공격 분석을 맞아주고. 난 계도 써서 술식에만 집중할 거야.'

고개를 끄덕이는 두 사람을 본 나는 안심하고 자신과 마력체로 의식을 돌렸다.

모든 감각을 나의 내면으로 돌린다.

특기 분야다.

이미지.

곧 쏟아질 공격을 모두 제압할 수 있는 이미지.

"제9계단「제미니」해방.「보조를 완수하는 자(스펠 서번트)」."

"하늘의 실이여, 가득 채우거라.「흑망천라(黑網天羅)」."

아주 가까운 곳에서 힘의 발동을 느낀다.

시키가 제미니를 써서 두 명이 되었다.

미오는 하늘에 그물을 펼쳤다.

바로 위쪽을 보면 시야에 들어오는 하늘 전면에 미오의 힘이, 검은색 실로 짜여진 그물이 전개된 것을 알 수 있었다.

나는 조용히 스스로의 내면에 잠겨 들어갔다.

더욱 강하게 이미지한다.

마력체를 변질시켜서 만들어 낼 물질을.

방패…… 아니야.

그물…… 아니야.

거울…… 아니야.

전부 다 뭔가 느낌이 안 온다. 더 강력한 힘을 구현해야 한다.

어떤 공격이든 「으스러뜨리는」…… 강대한 수단.

으스러뜨린다. 공격을 파괴한다.

그것이야말로 지금 꼭 필요한 행위라는 생각이 든다.

그래. 힘의 상징이라고도 말할 수 있는 네 팔 거인의 모습……. 그 팔에 장착하고 있는 완갑(건틀릿)을 떠올린다.

찾았다.

굳세고, 투박하고, 또한 어딘가 무기질적이어서 바라만 봐도 든든해지는 이오의 튼튼한 팔.

완갑과 일체화된 인형 병기의 팔을 연상케 하는 그것을 더 커다랗게.

그리고 강하게.

손바닥 안에 잡히는 어떠한 물질도 뭉개 없애는…… 그러한 팔을 만들어 내자.

결정됐다.

다음은 마력체의 팔을 쭉 비대화시키고 또한 형태를 만들어 낸다. 이루어 낸다.

남은 것은 오로지 깊이, 깊이.

전투에 몰입했을 때와 흡사한 상태로 자신을 데려간다.

상당히 후방에서 시키의 영창이 느껴졌다.

내가 마음 가는 대로 지나온 짐승길 같은 경로를 잘 포장하며 따라와주는 시키의 영창.

한 명이 아니다.

시키는 제미니와 손발을 맞춰 세 배의 속도로 처리를 진행하고 있었다.

소리를 내서 길고 긴 영창을 계속하고 있는 모습은 두 사람이 합창을 하는 것 같기도 하다.

대역으로 쓰는 사용법 이외에도 제미니는 해방 단계에 따라 능력을 나눌 수 있다고 시키가 말했었는데 이번에 쓴 것은 주문의 처리 능력을 높여주는 타입인지도 모르겠네.

'도련님, 잠시 괜찮으세요?'

미오가 보낸 염화.

루토의 포효 때문에 목소리가 제대로 들릴 상황이 아니라서 당연히 연락은 염화로 한다.

시키의 영창도 마력의 움직임을 봐서 판단했을 뿐 실제 소리를 들은 것은 아니다.

'……왜?'

'저 변태의 포효 때문에요. 저것, 마족의 도시뿐 아니라 더 멀리 뻗어 가려는 기세예요. 보아하니 아마 공격도…….'

'민폐의 극치구나. 일반인이면 즉사할 위력의 공격이라던데. 이미 피해도 발생했다고 들었어. 알았어. 내가 어떻게든 해볼게.'

도시의 주민들도 힘의 이치를 따르는 마족이니까 죽어도 불만은 없을지도 모르겠지만, 도시만 무사할 뿐 정작 사람이 전부 다 죽어 나가는 아찔한 결말은 절대 사절하고 싶다.

이미 효과를 발휘하는 중인 포효를 지우는 게 될지 확신은 못 하겠는데 쓸 만한 수단은 있으니까 시험해보자.

'아녜요. 공격 범위가 더 넓어질 것 같은데 제가 다 손을 쓸 수 있을지 확신이 안 들어서요. 그러니까, 혹시 괜찮으시다면 도련님의 힘을 조금만 받아 가도 될까요?'

미오는 도시에 닥칠 피해를 염려하는 내 말을 단박에 부정했다.

대신 미오는 내 힘을 빌리고 싶다고 한다. 어디까지나 자신에게 주어진 임무를 무사히 수행하기 위해서라는 것일까? 해석에 따라서는 피해를 신경 써주고 있는 것 같기도……. 뭐, 지금은 아무래도 상관없나.

'힘이면, 마력?'

'네. 그래주시면 더 강하게 힘을 쓸 수 있거든요. 물론 도련님께 적잖은 부담이 될 테니 허가를 먼저 받고자 말씀드렸어요.'

마력이야 별로 상관없어.

특히 내가 무언가 해야 할 때라면 모를까 다 쓰지도 못할 만큼 넘쳐나는 자원이잖아.

도움이 될 수 있다면 기꺼이 넘겨주겠어.

'좋아, 얼마든지 갖다 써.'

'감사합니다!! 그, 그럼, 저에게…… 그렇군요, 마개를 열어주시는 것과 비슷하달까요. 아, 맞아요! 저와 도련님과, 군더더기 시키로 이어 놓은 이 링크요. 저와 도련님의 사이에서 더 두껍게, 그리고 해방하는 이미지로 부탁드리겠어요!'

팔을 생성하는 데 이상한 압력을 느끼고 있던 난 미오의 부탁을 먼저 들어주기로 했다.

'알았어.'

묘하게 고양되어 기뻐하는 미오에게 의문을 품는 한편, 미오가 나와 시키를 포함한 세 사람 사이에 연결해준 주변 정보의 링크를 의식한다.

그 라인을 매개로 미오에게 마력을 개방— 음, 흘려 넣어주는 이미지를 떠올렸다.

'후…… 우후후! 왔어요, 도련님의 마력! 최고예요……. 맛있어, 기분이 좋아……. 이 힘, 도련님으로 가득 차오르는 충만감! 좋아요, 이제 제게는 어떤 불가능도 없답니다!'

……뭐, 자세히 묻지 말고 넘어가자.

강해진 힘을 써준다면 문제없잖아.

'……면목 없습니다, 도련님. 저 또한 **같은** 부탁을 드려도 괜찮겠습니까?'

'시키도?'

'루토 공의 포효에 저항하려니 예상외로 부담이 되어 영창에 의한 보조가 지체되고 있습니다. 만전의 태세를 갖춰 임하고 싶사온지라.'

'좋아.'

시키한테도 미오와 똑같이 마력을 흘려 넣어줬다.

마개를 여는 느낌이니까 공유와 비슷할지도 모르겠네, 이거.

'이럴 수가……! 문이 열린다는 말은 그야말로 이 같은 경우를 두고……. 아뇨, 큰 도움을 받았습니다. 도련님, 이제 온전히 보조에 집중할 수 있습니다!'

'그나저나, 팔을 만들려고 하는데 뭔가 방해를 하는 것 같거든……. 자꾸 이상한 느낌이 들어. 이것도 시키의 보조가 늦어지고 있기 때문이야?'

마력체의 팔은 이미 평소보다 곱절은 커다래졌다.

다른 부위보다도 밀도가 높고, 내가 마음에 그린 조형을 윤곽으로써 갖춰 나가고 있다.

다만 이것을 더 명확하게…… 물질로 이미지하려고 하면 간헐적으로 이상한 노이즈가 끼어든다.

집중이 흐트러져서 뜻하는 대로 진행되질 않아.

집중의 심도를 우선해서 영창을 소홀히 하고 자질구레한 부분은 시키한테 맡긴 반동이려나?

'노이즈……. 예, 아마도 맞을 겁니다. 도련님, 이제 한 발짝 남았습니다. 깊숙이, 강하게, 그 팔을 구현하여 나타내주십시오.'

'알았어. 다만 따로 할 일이 생겨서 조금 속도는 늦출 거야. 그리고 시키도 루토의 공격을 짬짬이 분석해줘.'

'알겠습니다.'

시키가 영창으로 나를 보조해주는 속도가 확 빨라졌다.

아직 나의 집중에는 못 미치지만, 이런 정도라면 내가 조금 늦어지는 것을 감안해서 시키의 영창 속도가 살짝 더 빨라질 것 같아.

문득 주위를 둘러봤다.

지하에 지어 놓은 건물은 붕괴가 시작됐다.

우리는 머리 위에 아무것도 없는 위치에 있기도 하고, 발 디딜 자리는 신경 써서 확보해 놓았으니까 딱히 상관없는데 도망친 사람들은 큰일을 겪었을 것 같아.

폐하는 장군들과 한곳에 모여 자신들을 지키는 장벽을 이미 전개했다.

로나는 상당히 깊은 상처를 입었는지 술법에 참가하지 못하고 여전히 바닥에 누워 있구나.

다른 장군들 세 사람과 마왕이 술식을 전개하고 있었다.

게다가 염화가 바삐 날아다니고 있다. 아무러면 이런 상황에 내용까지 들어보려는 생각은 안 하지만, 상황이 혼란스럽다는 것은 충분히 전해졌다.

좋아, 해볼까.

나는 편하게 자연체로 놓아두었던 자신의 손을 들었다.

주먹 쥔 손을 펼쳐서 수중에 무기를 불러낸다.

머지않아 요즘에 겨우 익숙해지기 시작한 활과 타근의 감촉이 두 손에 나타났다.

타근은 허리에 매달고 왼손에 든 아즈사만을 잡아 쥔다.

딱히 루토에게 겨누진 않고 단순히 자신의 정면으로.

빈 시위를 당기는 명현(鳴弦)의 의식.

선생님한테 대강 배우기는 했는데 세세한 절차는 까먹어버렸거든.

원래는 어디까지나 의식적인 행위지만, 괜히 하는 짓은 아니고 지금은 여기에 마력을 실어서 실제 효과를 기대하고 있다.

가능한 한 넓게 퍼져 나가도록 의식하며 화살을 메기지 않고 시위를 당겨서 현을 울린다.

현의 떨림이 멎었을 때 다시 한 번.

도합 세 번, 반복했다.

자, 효과가 얼마나 나타나려나.

그런 생각을 하던 때 시키가 술식을 보조하는 속도가 현격하게 빨라졌다.

분명하게 말해서 나보다 훨씬 더 빠르다

오오?

'루토 공의 포효, 더 이상 제 몸에 어떠한 효과도 주지 못합니다! 「할 일」이란 이것을 말씀하셨던 겁니까, 도련님!'

일단 가까운 곳에 있던 시키한테는 효과가 나타난 것 같다.

지금은 계도 전부 다 팔을 생성하는 데 집중하고 있어서 도시 상황은 잘 모르겠는데 저 멀리까지 가닿았으면 좋겠다.

좋아. 이제 시키도 잘 따라오고 있겠다, 노이즈 따위 신경 쓰지 말고 단번에 해치워볼까요.

제프 폐하가 귀찮게 염화를 자꾸 날리는데 지금 집중하고 있거든요, 라는 태도로 무시한 채 팔의 생성을 목표로 한다.

이 공격을 막은 다음에 겨우 살아남았는데 저주병에 침식당한 사람이 혹시 있다면 빨랑빨랑 도와주고 롯츠갈드로 돌아—.

“엑?!”

루토의 입에서 홍리의 레이저와 닮은 브레스가 쏘아졌다.

구름을 요란하게 찢어발기며 위쪽에 있던 무지개색의 구체를 꿰뚫는다.

오랜만에 본 하늘.

그리고 꿰뚫린 구체에서 진짜 마무리 불꽃놀이처럼 내리쏟아지는 무지개색의 마탄, 마탄, 마탄…….

이거…… 예상보다 훨씬 더 숫자와 범위가 크다!

두꺼운 구름이 잇따라 찢겨 나가며 대지에 무지개색의 자칭 브레스가 쏟아진다.

이게 뭐야, 브레스가 아니라 거대 화산의 분화잖아!

“사고 칠 때만큼은 과연 대단하네요, 저 변태! 그럼에도 오늘의 저를 앞지르는 것은 불가능함을 깨달으세요!”

미오가 하늘에 펼친 거미집— 아니, 그물을 막 내리쏟아지는 산탄의 범위에 맞춰 쭉 확장시켰다.

내 마력이 미오에게 흘러가는 감각이 느껴진다.

온 하늘에 가득 펼쳐진 검은 실 그물이 내리쏟아지는 산탄을 막아 낸다. 그물 틈으로 떨어진 마탄도 신비로운 옅은 어둠색 문양이 나타나서 막아 내기에 단 하나도 지면에 떨어지지 못했다.

“앗?!”

미오의 목소리, 일순간 넋이 나간 표정.

그 시선을 좇아가자 딱 하나 그물을 피한 무지개색 구체가 저 멀리 지평선 너머에 떨어져서 같은 색깔을 띤 두꺼운 빛의 기둥으로 하늘과 대지를 연결했다.

저쪽은 딱히 가본 적 없어서 뭐가 있는지 잘 모르겠는데……. 적어도 마족의 도시라든가 홍리가 있는 산은 아니야.

‘미오, 신경 안 써도 괜찮아. 지금은 저 그물의 유지와 브레스를 나한테 끌어오는 것만 생각해주면 되니까.’

‘아으. 이런 실수를, 죄송합니다…….’

착탄점에서 피어오르는 두꺼운 빛의 기둥이 여기에서도 또렷하게 보인다.

뒤늦게 울려 퍼지는 진동과 소리.

한 발인데 저런 꼴인가.

수백 발을 넘기는 상공의 마탄이 전부 일제히 떨어지면 풀 한 포기, 나무 한 그루는커녕 대지도 안 남는 게 아닐까?

만족스럽게 빛의 입자로 화해 모습을 감춘 루토가 남긴 이 웃어넘길 수 없는 공격은 정말이지 기가 막힌다.

뭐, 분명 롯츠갈드에서 우리보다 먼저 토모에가 혼내주고 있을 거야. 저 자식한테 설교는 나중에 하자.

아무튼 더는 시간이 없다.

게다가 아까부터 노이즈가 점점 더 심해지고 있어.

라디오였다면 벌써 한참 전에 전원을 껐을 지경이다. 옛날 텔레

비전이라면 치직치직 화면이 뜨기 조금 전 수준의 거슬림.

물질의 생성 자체에 관여한 폐해일까?

원인이 뭐든 간에 진짜 제대로 집중해서 물질화의 이미지를 강화해야 한다.

마력을 물질로 변환하는 게 제법 힘들구나.

'시키, 역시 노이즈가 심각해. 단번에 치고 나가볼 건데 괜찮겠어?'

'……예. 마음껏, 힘을 펼치소서.'

'고마워.'

눈을 꾹 감고 깊숙이 자신의 안에 들어간다.

자꾸 방해만 하며 걸리적거리는 노이즈를 이미지 안쪽에서 한쪽 손으로 전부 베어 갈라 침묵시켰다.

남은 손으로 내가 이미지하는 「팔」에 낀 안개를 치운 뒤 전모를 노출시키기 위해 힘쓴다.

오로지 작업에만 집중했다.

노이즈를 침묵시킨 것은 거기에 모든 의식을 집중하니까 간단했다.

좀처럼 걷히지 않는 안개, 붙잡아 쥐기에는 너무 애매한 모습, 그림자 같은 팔의 전모가 강적이었다.

죽기 살기로 깊숙이 물의 바닥까지 잠겨 들어가는 심정으로 머나먼 그림자를 잡아 쥐고자 온 힘을 쏟아붓는다.

시키가 어디까지 따라와줄지도 잘 모르겠다.

하지만 때는 왔다.

나에게는 몹시 길게도 느껴진 순간.

철저하게 공격을 억제해준 미오한테, 같이 쭉 따라와준 시키한데 새삼 감사한다.

할 수 있다.

불길함마저 느껴지는 투박한 두 팔.

과도하게 장식을 해서 유기적인 분위기가 느껴지지 않는 기계의 손……. 그야말로 로봇의 손이다.

자, 손을 뻗도록 하자.

이것을 만들어 내자.

나는 백은빛으로 빛나는 팔에 조용히 손을 뻗었다.

◇◆◇시키◆◇◆

때가, 왔다.

도련님께서 눈을 감은 뒤 머지않아 거대화되어 복잡한 윤곽을 가진 두 팔이 마력체에서 떨어져 나왔다.

동시에 비명과 같은 격렬한 마찰음이 울려 퍼진다.

루토 공의 포효와 달리 듣는 사람에게 해를 끼치는 효과는 없는 저 소리가 순수하게 귀를 따갑게 하며 메아리쳤다.

이것이 무엇인지 나는 알고 있었다.

머지않아 도련님께서는 눈을 뜨셨다.

「막아서 흩뜨리는」 이미지가 아닌 「짓뭉개 파괴하는」 이미지를 선택한 사람이라는 생각은 도저히 들지 않는 마음씨 곱고 천진한 모습으로.

영창 때문에 입을 못 쓰는 나는 고개를 끄덕여서 응답한 뒤 얼마 안 남은 보조 임무를 완수하고자 힘을 쏟았다.

물론 염화를 쓴다면 말을 건네드릴 수 있겠지만, 지금은 한 마디 말에 할애할 여력조차 아쉬웠다.

이제 곧, 아마도 이 세계의 누구도 본 적 없는 업적을 목격할 수 있을 테니까.

도련님께서는 「방해가 되는 노이즈」라고 일컬었던 현상을 돌파하고 이 술법— 아니, 행위의 섭리를 손에 쥐셨다.

그 노이즈가 무엇인지도 나는 대강 짐작이 된다.

훌륭하다.

이제는 내가 영창으로 보조만 잘 마친다면 업적이 이룩된다.

반지의 힘을 써서 분신을 만들어 낸 나는 그것에게 술식 지원을 수행하는 능력을 부여했다.

2인분 이상의 처리 능력을 동원하여 위대한 행위에 약간이나마 힘을 보탠다. 몹시 난해할지언정 하는 일 자체를 설명하기는 별로 어렵지 않았다.

고차원의 어려운 마술일수록 처음 밟아서 나아가는 길이 무척이나 중요해지는 법이다.

도련님은 곧잘 깔끔하게 다지는 작업을 담당하는 나에게 굉장하다며 칭찬해주신다만, 정작 무시무시한 분은 오히려 도련님이시다.

어두운 암흑 속에서 목표를 설정하고 길 없는 길을 개척하며 아무 망설임 없이 힘차게 나아가시니까.

이미 과정이 증명된 길을 정비하여 기능을 향상시키는 것은 필요한 작업이지만, 기술만 갖춘다면 누구든 가능한 일이다. 전인미

답의 영역에 한 발짝을 내디뎌서 나아가는 걸음이야말로…… 진정한 위업.

도련님을 돕는 것은 나에게 있어 매번 놀라움의 연속이며, 아울러 어느 무엇과도 절대로 바꿀 수 없는 연구의 기회이기도 했다.

그리고 마침내 나도 모든 보조를 마쳤다.

이 자리에서 함께 목격할 수 있는 마왕과 장군들은 어찌 이리도 운이 좋은가.

이 자리에 함께 있는데도 의식을 잃은 로나는 어찌 이리도 운이 나쁜가.

자, 보도록 해라.

나의 주군께서 내딛는 새로운 한 걸음을.

마력체에서 떨어져 나온 두 팔의 손가락이 변질을 시작한다.

감동이 온몸을 감싸는 것이 느껴졌다.

변질— 쓸데없이 얼버무리는 표현은 이제 필요치 않다.

도련님께 부담이 되지 않도록 표현을 바꿔 가능한 한 단순하게 설명드렸다만.

"이루어 냈다. 신도 아닌 인간이……. 인간은 대체 어디까지 나아갈 수 있는 존재란 말인가."

더욱 상위의 존재라는 그랜트도 아닌 단순한 휴만인데도.

약간의 조력은 있었다지만.

우리의 몸 안에는 과연 얼마나 큰 가능성이 잠들어 있는 것일까.

호기심이 가라앉지 않는다.

이래서 도련님을 진심으로 섬길 수밖에 없다.

“창조. 그것도 이미지를 구현한 도구의 창조.”

백은빛으로 빛나는 팔을 보고 눈물을 흘리고 싶을 만큼 큰 감동이 복받쳤다.

귀를 따갑게 하는 울림은 세계의 비명.

계속 방해를 하는 노이즈는 아마도 세계의 저항.

자격도 없이 넘치는 마력과 술식으로 자신에게 간섭하고 굴복시키고자 하는 이물질을 세계가 거절한 반동이었을 테지.

다만 결국은 도련님께서 부수셨다.

침묵시켰다.

개인의 의지와 힘만 가지고.

그래. 저러한 분이기에 여신과 맞서려는 생각을 가질 수 있었겠지.

주군의 종자 신분을 가진 나 자신의 영광에 전율하면서 새삼 위업을 이룩하신 도련님을 본다.

“―엇, 도련님?!”

“도련님! 무슨 일이세요?!”

지금 막 도련님이 무릎을 꿇은 채 허물어지셨다!

나의 목소리와 미오 님의 목소리가 겹쳤다.

‘괜찮아! 조금 지쳤을 뿐이야. 둘 다 놀라지 말고 집중해줘.’

흙빛이 된 얼굴, 대량의 땀을 흘리는 모습은 도저히 괜찮은 것 같지 않았다. 다만 주군은 굳이 말을 꺼내는 분이 아니시다. 진정 괴로울 때는 본심을 감추는 굳건한 분이셨다.

따라서 나중에라도 만전을 기하여 진단해야 한다.

지금은 주군의 위업과 그것을 쓴 임무에 집중해야 할 때.

나도 아직은 주군께 분부를 받은 임무가 남아 있었다.

'미오, 공격이 전부 나한테 오게 통과시켜줘.'

'몸은 괜찮으신…… 아니요, 알겠습니다.'

세 사람을 같이 연결해 놓은 염화로 나도 도련님의 말을 들었다.

드디어, 저 팔이 사용되는구나.

'시키는 서둘러 저 공격을 분석해. 뭐, 근처에 있으니까 시키라면 분명 괜찮을 거야. 아무튼 저걸 소멸시켜줄 쌍이 되는 혼합 속성을 만들어줘.'

루토 공의 브레스와 쌍이 되는 혼합 속성?!

비록 공중에서 미오 님의 그물에 막혀 있다지만, 예술적이라는 평가를 들어 마땅한 완성도의 저 공격에?!

불가능하다.

어떻게 발버둥 쳐도 어림없다.

더구나 즉석에서 해내는 것은 도저히 무리였다.

'도련님, 면목 없사오나 도저히 무리입니다. 서둘러 분석은 진행하겠습니다만, 잘해 봤자 저것의 열화판밖에 못 됩니다.'

'그럼 쌍이 안 되어도 뭐든 상관없어. 저걸 소멸시킬 수만 있다면 다 좋아. 힘은 좀 모자라도 내가 담당할게. 시키는 속성의 균형만이라도 괜찮으니까 저걸 제로로 만들 수 있는 조합을 찾아내줘.'

요, 요구가 과하시군.

그럼에도.

확실히 한 번의 공격을 일방적으로 지울 수 있는 속성 조합이라면 불가능하지는 않다.

완전한 반대 속성을 만들자면 예술품이어야 할 필요가 있다만, 단지 지우는 것이 목적이라면 병기로 충분하다.

그렇다면 정보만 잘 갖춰도 어떻게든 방법이 생기지 않겠는가.

다만. 힘은 좀 모자라도 내가 담당할게, 라는 말은 도대체…….

'……해보겠습니다.'

아무튼 간에 주군의 의향에는 복종할 뿐.

과연 얼마나 해낼 수 있을까.

'아예 미오처럼 내 마력을 써서 제미니를 파워 업 시켜도 괜찮으니까.'

'이미 티가 나도록 지치신 도련님께 마력을 더 받을 수는 없습니다.'

부담이 될 줄을 뻔히 알기에 더더욱 꺼려진다.

'내가 괜찮다고 말한 거니까 신경 쓰지 마. 이 팔도 일을 해줘야 하고, 나도 할 일이 있거든.'

할 일이 더 있다?

아직 무엇인가가 더 있음을 알아채신 것인가.

……그런가, 루토 공이 말했던 시간 차 공격의 실체는 혹시…….

포효 이후의 브레스가 그것이리라고 나는 생각했다만, 시간 차 공격이 한 번 뿐이라는 말은 전혀 나오지 않았다.

'도련님, 그럼 떨어뜨릴게요. 막는 동안에 열 발쯤 먹었― 아뇨, 지웠습니다만, 더 이상은 어려워서요. 말씀하신 대로 믿고서 따르겠어요.'

역시 미오 님은 대단하다.

아득히 높은 하늘에 전개한 술식을 거듭 변형하여 광구를 처리하고 있었다니.

미오 님이 사용하는 술법은 모든 것이 본인의 오리지널이기에 나는 영창의 내용도 전혀 의미를 파악하지 못한 부류가 대부분이다. 가끔 도련님께서 미오 님과 영창의 이야기를 나누실 때도 미숙한 나는 수수께끼의 대화로 들릴 뿐이었다.

정말이지 특화된 재능과 능력이 부러워지는군.

'괜찮아. 가끔은 나를 믿어줘. 나야말로 언제나 너희를 믿고 어리광만 부리잖아. 어서 해.'

"흑망천라, 왜곡투과."

미오 님의 말에 따라서 온 하늘, 그야말로 전부를 뒤덮는 것이 아닐까 싶던 검은색 그물이 차차 옅어져 보이지 않게 되었다.

그리고 예술적인 혼합 속성을 지닌 산탄은 그 전부가 우리에게—더 정확하게는 도련님을 목표로 낙하점이 비틀려 다시 떨어지기 시작했다.

한 지점에 내리쏟아지는 무지개색의 산탄.

그 광경은 환상적이었으며 낙하점에서 바라보는 나 또한 아름다움에 숨을 죽였다.

그러나 유감이지만 이 자리의 주역은 아니다.

도련님의 몇 미터 앞쪽 공중에 떠올라 있는 두 개의 팔이다.

마치 드워프가 만든 무구처럼 아름답게 빛나고 있다.

신께 경배하며 손을 맞대기 이전의 모습처럼 손과 손 사이에 넓은 공간을 만든 상태로 정지되어 있다.

그 공간을 노려서 드디어 루토 공의 마탄 브레스 첫 발이 날아들었다.

굉장하다……!!

두 팔의 사이에는 아무것도 없다.

아무것도 없는데도.

영역에 도달하기 조금 전, 산탄은 자력에 끌려 들어가는 것처럼 손과 손 사이로 향했고 또한 그곳에서 사람의 주먹쯤 되는 크기로 압축되어 멈췄다.

두 번째, 세 번째, 네 번째 마탄도…….

잇따라 날아드는 산탄은 빠짐없이 같은 결말을 따른다.

백을 넘기는 산탄이 하나로, 차츰 커지고 있기는 하나 아직껏 사람의 머리를 조금 넘기는 크기를 유지한 채 가만히 움직이지 않는다.

당초 내 예상으로 도련님께서는 거대한 방패나 망토 부류의 물건을 구현하시리라 생각했었다.

그런데 실상은 거대한 건틀릿을 닮은 팔. 또한 그것은 산탄을 믿기지 않는 방법으로 한 곳에 모아서 주위에 끼칠 피해까지 억제하고 있었다.

아아, 그런가.

이것은 방금 전 마족의 장군들과 전투할 때 보았던 무구, 용암구를 잡아 으스러뜨렸던 광경과 비슷하구나.

그때는 한쪽 손이었지만, 도련님은 산탄 전부를 손안의 공간에 담아냈을 뿐 아니라 양손으로 으스러뜨리려는 심산이신가.

'시키, 성공을 기뻐하는 마음은 알겠는데 이제 정신 차리고 분석을 진행해줘. 하고 있어?'

'바, 바로 시작하겠습니다!'

'잘 부탁할게. 시키가 분석을 마치면 일단 이것을 없애보겠어. 거기까지 다 마쳐야 성공인 거야. 게다가 루토 이 자식은 분명히 마지막 일격을 또 준비했을 테니까.'

'루토 공이 그렇게까지 집요한 인물은 아니었던 것 같습니다만.'

'루토 본인의 기질 문제가 아니라 참고 자료가 조금 안 좋았거든. 최근에 나온 작품일수록 지겨울 만큼 연출을 반복하는 경향이 있어서 말야.'

'예에…….'

도련님께서 어떤 근거로 하신 말씀인지 잘 감이 안 오지만, 서둘러 분석부터 하자.

불, 물, 바람, 흙. 그리고 빛과 어둠.

상반된 속성까지 같이 있는데도 불구하고 서로가 서로를 같이 끌어올려주는 기이한 균형으로 조정되었다. 분명 한 발로 도시나 성을 잿더미로 만드는 위력을 발휘할 것이다.

이런 공격이 쏟아지면 정말 모든 것이 뿌리째 파괴에 휩쓸려서 소멸할 테지.

그나저나, 루토 공도 심보가 고약하구나.

어떠한 가능성이든 이 같은 상황을 뽑아서 적을 멸하더라도 결국은 술사 본인도 포함하여 모든 것이 멸망을 맞이할 테니. 혹여나 핵이 된 술사만 혼자 살아남더라도……. 역시 마찬가지인가.

이것이 여신을 신봉하는 엘리시온의 신기였음을 떠올리자면 과연 어떠한 의도가 있었을까.

만약 엘리시온이 저 물건을 의지하는 데 익숙해져서 거듭거듭 용의 힘을 빌리다가 결국 이 상황이 발생했다면.

그랬다면 엘리시온은 마족 때문이 아닌 자신들의 신기에 의해 멸망을 맞이했을 가능성도…….

아니, 깊이 고찰할 것도 없구나.

미래라면 모를까 과거는 이미 결정된 사안이니까.

나는 그저 이 공격의 천적이 될 속성을 찾아내면 된다.

"전부, 붙잡았다. 이제 없애기만 하면……!"

도련님이 두 팔의 사이를 천천히 좁혀 나간다.

루토 공의 산탄 집합체가 저항이라도 하는 것일까. 군데군데 터지거나 팽창하는 등 작은 반발은 일어나지만, 지금 붙잡혀 있는 영역에서는 아주 약간도 바깥으로 나가지 못했다.

"이거, 엄청나게 지치네……! 하지만!"

도련님의 안색은 아직 회복되지 않았다. 회복의 조짐도 없다.

솔직히 나는 창조가 얼마나 많은 마력을 소비하는 행위인지 알지 못한다.

도련님께서 보유한 마력이면, 이계에서 온 신들도 인정한 마력이라면 설마 부족할 일은 없으리라 예상을 하여 이번 사건을 발전 과제로 이용할 수 있겠다는 기대를 가졌었다만…….

뭔가 착오가 있었던 건가?

아니면 창조한 결과물이 안 좋았던 건가?

……도련님의 마력이.

전혀 한계를 알 수 없었던 힘이.

내가 계측 가능한 범위까지 양이 줄어들었다.

그럼에도 우리가 봤을 때는 아득히 먼 구름 위의 영역이다. 하지만 내가 가늠할 수 있는 범주로 내려왔던 경우는 이제까지 단 한 번도 없었다.

나의 마음에 조바심이 생겨났다. 느긋하게 굴 시간은 없는 게 아니냐고.

그 조바심이 집중을 흐트러뜨리는 단계까지 도달하는 것을 도저히 막지 못한다.

'시키. 진정해. 괜찮아, 잘하고 있으니까.'

도련님의 말과 동시에 대량의 마력이 몸에 흘러들었다.

상쾌한 감각, 독특한 충족감이 몸을 감싸며 조바심이 사라져 가는 것을 알 수 있었다.

'도련님께서는 지금 마력이 상당히 줄어든 상태이십니다. 이러한 도움까지 받을 순 없습니다!'

'확실히 저 팔을 만들었을 때 한 번에 절반쯤 써버렸던 데다가 지금이 인생에서 가장 마력이 적은 상태일 거야. 학원의 학생들한테 몇 번인가 들은 마력이 고갈 직전을 맞이했을 때 겪는다는 몸살도 실감 중이야. 하지만 **이번 방어의 주역인 시키**가 조바심을 가질 이유는 못 돼. 내가 할 일이야 이미 거의 다 끝났으니까.'

'제가 주역이라니요!'

'알 수 있어. 이 팔은 오래는 못 써. 실전 검증(컴뱃 프루프)도 거치지 않은 수단을 왜 불쑥 실전에 투입하냐고 숲도깨비 콤비 중 에리스라든가 나중에 따질 것 같은데 정말 할 말이 없지.'

컴뱃……?

아니, 일단은 넘어가자. 서둘러야 한다.

받아버린 마력은 어쩔 수 없다.

도련님에게서 흘러들어 온 마력을 이미 전개하고 있는 제미니가 아닌 나 자신에게, 더 정확하게는 13계단(리스리처)의 기본이 되는 반지에 흘려 넣었다.

그렇지 않아도 지배의 계약에 의해 무엇보다도 친숙한 주군의 마력이 반지로 증폭되어 온몸을 가득 채운다.

전능감이 몸에 흘러넘치며 속성의 분석이 단박에 진전됐다.

빛과 어둠을 태극 문양처럼 신비로운 조화로 맞물리게 하는 토대를 구성, 서로를 교차시킴으로써 발생하는 상승.

거기에 4대 속성을 올려놓았다.

물이 바람을, 바람이 불을, 불이 흙을, 흙이 물을 보조하며 끌어올린다. 아울러 끌려 올라간 속성이 다시 보조 역할을 맡아 위력을 나선형으로 거듭 강화하고 있다.

보면 볼수록 예술적이었다.

하지만 부술 뿐.

무(無)로 돌려보낼 뿐이라면.

빛과 어둠의 토대를 파괴하는 양 속성의 균형을 탐지한다.

동시에 최초의 기점이 되는 물, 그것을 받아주는 바람을 지워 없애줄 속성도 탐지한다.

서둘러라, 서둘러라.

조바심 때문이 아닌 합리적으로 분석 속도를 높이며 소멸을 유도할 수 있는 속성을 거듭 모색한다.

빛과 어둠, 그리고 불, 보조 역할로 남는 세 속성.

찾았다.

이 비율이라면 분명 브레스를 없앨 수 있다!

"도련님! 끝났습니다!"

"좋아! 사라져라아!!"

나의 말을 기다리고 계셨을 테지. 곧장 도련님의 목소리가 울려 퍼졌다.

백은빛 두 팔이 박수를 친다.

무지개색 광구는 어딘가에 작렬하는 불상사 없이 소멸되었다.

숨을 거칠게 쉬며, 하지만 재차 무릎을 꿇지도 않고 도련님은 다음 행동에 들어간다.

가령 적대자가 도련님의 저 마력체 방어를 뚫고 간신히 한 가닥 희망을 걸어 일격을 성공시키더라도 결국 전황은 무엇 하나 바뀌지 않았음을 알게 되리라.

나는 그자에게 진심으로 동정을 표시하겠다.

특히 전투 부문에서 이분에게는 무른 곳이 없었다.

아울러 이분과 같은 편이라는 것에 깊이 감사했다.

'미오, 어때?'

'상승이 멈췄어요. 옵니다!'

'역시나!!'

도련님과 미오 님의 염화를 듣고 나는 비로소 두 사람이 의식하고 있는 대상을 알아차렸다.

잠깐 의식만 하면 나 또한 같이 연결되어 있기에 금세 알아차렸을 텐데. 불찰을 저질렀다.

무지개색의 광탄을 쏘아 꿰뚫을 때 루토 공이 하늘로 날려 보냈던 일격은 별하늘의 높은 곳까지 도달한 뒤 궤도를 바꿔 낙하를 시작했다.

저 공격에도 산탄에 장치했던 것과 마찬가지로 핵 비슷한 구조가 있을까.

다만, 도련님께는 저 팔이…….

떨어져 있었다.

백은빛 팔은 양쪽 모두 어떠한 움직임도 없이 땅바닥에 떨어져 있었다.

이미 저것에게서는 아무런 힘도 느껴지지 않는다.

오래는 쓰지 못한다.

도련님의 말을 떠올렸다.

차선책인 나의 속성 분석이 완료됨에 따라 그쪽으로 방법을 바꿔야 했을 만큼 도련님은 기진맥진하셨을 가능성이 있다.

나의 책임은 중대하다.

그러나 내가 만든 속성의 균형만으로는 루토 공의 마지막 공격을 막아 내지 못한다.

낙하에 따라 위력과 속도 양쪽을 가속도적으로 높여 떨어지는 저것은 없애자면 수단이 하나 부족했다.

'가속의 정도를 봐서 여기까지는 3분쯤 걸리겠네요.'

'3분인가. 미오, 미안한데 조금 더 시간을 벌어줘. 내 마력은 신

경 안 써도 괜찮으니까.'

'……알겠습니다. 저 그물은 강력한 일격에는 별로 적합하지 않지만 해보겠어요.'

'잘 부탁해. 시키는 내 화살에다가 아까 쓴 속성으로 만든 술법을 부여해줘.'

도련님께서는 아즈사를 들고 계셨다.

또한 오른손에는 타근이라고 불리는 끈 달린 단검과 비슷한 투척 무기가 있다.

오른손을 아즈사에 향하고 시위에 손을 가져가자 끈이 뻐대가서는 것처럼 일직선으로 뻗어나가며 마치 화살처럼 자리 잡았다.

머리 위쪽으로 일련의 작업을 마친 도련님은 천천히 활을 당기며 조준을 맞춰 나간다.

힘을 내가 담당하겠다고 하셨던 건 이런 뜻이셨나.

그렇군. 최후의 일격은 막아 내는 것이 아니라 없애버릴 심산이셨는가.

이러한 극한 상황에서도 넓은 시야를 가질 수 있다니.

혹여 전투 이외에도 발휘된다면 얼마나 큰 인물이 되실까.

……훗, 그게 안 되시기에 나의 주군, 마코토 님이신가.

3분이라는 시간은 나에게도 무척 짧았다.

제미니까지 이용하여 가능한 한 빨리, 다만 속성을 무너뜨리지 않는 것을 첫째로 유념하며 부여 마술을 구축했다.

도련님께서 날릴 화살에 부여하는 이상 어설프게 위력의 향상 따위를 고려하지 말고 처음부터 속성 부여 마술로 구성하는 것이 좋겠다.

근간이 되는 공격이 강력 무쌍하다면 위력을 상승시킬 필요가 딱히 없었다. 최소한으로 속성만을 정확하게 부여하면 되는 셈이니까.

문득 도련님의 존재감이 희박해졌다. 활을 쥔 도련님이 깊이 집중하고 계시다는 증거.

몇 번을 경험해도 심장에 안 좋은 감각이다.

"시간 딱 맞춰 왔군요. 하지만! 도련님께서 조금 더 기다리라 말씀하셨다고요!"

미오 님이 하늘에 펼친 검은색 그물을 좁은 범위로 재차 전개했다.

거기에 두꺼운 무지개색의 광휘가 꽂힌다.

물론 방금 전 압축을 마친 산탄에는 못 미쳤지만, 단발의 위력은 비교도 안 될 만큼 강했다.

그 많은 공격을 아무렇지도 않게 막았던 그물을 잠자리채의 모양으로 바꿔서 일점 특화로 막아 내던 미오 님이 광휘의 위력에 밀려서 그물의 형태가 허물어지고 있었다.

"끄으으으읏!!"

미오 님은 무척이나 힘든 표정을 짓고 있었다.

이러면 찢겨 나가는 경우도 감안해야 하나?

"시키, 실례되는 생각을 했죠?! 나중에 벌을 주겠어요! 이쯤이야, 도련님께서 힘을 빌려주신 오늘! 여자의 의지를 걸고서라도 반드시!"

……매번 한 생각인데 나는 표정 관리에는 자신이 있는 편이다.

그런데 어째서 미오 님과 토모에 공에게는 매번 매번 단숨에 이것저것 읽혀버린다는 말인가.

혹시나 오늘 벌을 받거나 설교를 듣게 된다면 정말 저세상을 구경하게 될 것 같다만.

게다가 아무리 생각해도 저 광경을 보면 힘에서 밀리고 있다.

잠시나마 버티고 있는 미오 님이 경이적이다 뿐이지 본래 비트는 것도 찢기지 않게 버티는 것도 절대로 불가능하다.

"얌전히, 있으라고요!!"

안 밀렸다. 멈췄다.

이렇게 먼 거리에서, 저런 대단한 술법을 전개하는 것 하나도 이미 비상식이건만.

도련님은커녕 따라가야 할 선배의 등마저 이렇게나 멀구나.

감탄과 존경의 뜻을 담아서 미오 님을 바라봤다.

하늘을 노려보고 있는 미오 님의 저 모습은 평소와는 조금 달랐다.

"미오 님, 머리카락이?"

영창 도중인데도 무심코 묻고 말았다.

뒷머리가 허리까지 흘러내리는 장발이 되어 있었다.

방금 전까지는 평소와 같은 머리 모양이었는데 말이다.

"어머, 좀 자랐네요. 뭐, 사소한 일이에요. 그보다 시키, 서둘러야죠."

사소한, 건가?

"게다가 네 머리까지 건방지게도 나와 도련님과 같은 흑발이 되었잖아요. 어쨌든 간에 나중에 신경 쓰면 될 일이고요. 내가 버티고 있는 동안에 실수라도 하면……. 잘 알고 있겠죠?"

머리카락? 나의?

검은색?

아, 아니……. 지금은 오직 술법의 완성을 서두를 뿐.

"시키, 술식이 완성되면 바로 부탁해. 미오는 조금만 더 버텨주고."

"부, 분부대로!"

"도련님, 몇 시간이든 더 맡겨주세요."

그 말을 한 뒤에 미오 님이 나를 노려봤던 눈짓 한 번은 글자 그대로 「한시라도 빨리」였다.

알다마다.

도련님은 광휘를 주시하며 차분하게 활을 당긴 상태에서 정지되어 계셨다.

이미 조준은 완료되었을 테지.

얼마 뒤.

나도 술법을 완성시킨 뒤 어엿한 저격용 화살로 바뀐 도련님의 타근에 부여 마술을 펼쳤다.

"지금이야, 미오. 해제해."

"네!"

"후우우……."

아무 말 없이, 기다랗게 숨을 내뱉은 도련님은 조용히 활을 쏘았다.

광휘와 마찬가지로 무지개색을 띠고 있으나 한 줄기 빛에 불과한 일격이 막 낙하를 재개한 같은 색 광휘에 일말의 어긋남 없이 힘차게 날아가서 겹친다.

두툼한 빛 덩어리가 일순간에 일방적으로 소멸된 뒤 하늘에는 도련님께서 쏜 화살에 의한 무지개색의 일섬(一閃)만이 남았다.

호흡을 멈추고 긴장 상태에서 지켜보고 있었던 나는 한껏 숨을 토하며 안도했다.

다행이다. 성공했다.

"역시 시키야. 그런데 타근은 날아가버렸어. 엘드워한테 사과하고 또 만들어달래야겠네……."

"네, 제가 부여한 화살을 어긋남 없이 명중시킨 도련님께는 당할 수 없습니다만."

이런 성과를 거뒀다면 무기의 파손 정도로 엘더 드워프가 불평할 리 없다. 오히려 만면에 미소를 띠고 맞이해줄 테지. 새삼 돌이켜보면 나는 방금 전 한 대의 화살이 하늘을 달려 올라가 브레스에 명중할 것을 확신했었지만, 상식적으로 생각하면 이 또한 기적에 가까운 기예였군. 하하…….

"훌륭하셨어요. 그나저나, 상위 정령 녀석들이 거들어줬다면 조금 더 편했을 텐데 말이에요. 칫, 입만 살았다니까요."

"미오 님. 그들도 자신들의 신전이 도시에 있는 입장이잖습니까. 조금이라도 신전 주위를 지키고자 하는 것은 어쩔 수 없습니다."

도련님께서는 특별히 요구하지 않았지만, 나도 미오 님도 페닉스와 베헤모스에게 협력을 부탁했었다.

다만 양쪽 다 대답은 거절이었다.

이유는 자신의 신전도 공격 범위에 들어가 있다는 것.

극히 한정된 범위이나 그곳의 수호를 우선하고 싶다는 것.

나도 미오 님도 그들을 지배하는 입장은 아닌지라 할 일이 있어서 어렵다는 답에는 고개를 끄덕여줄 수밖에 없었다.

게다가 이 같은 끔찍한 공격의 범위에 자신들의 신전도 포함되었다면 더더욱이다.

실제 신전이 피난소로 기능했던 것은 틀림없었다.

그 산탄의 직격에 몇 발이나 버텼을지는 의문이나 루토 공의 포효에 따른 피해도 신전 안으로 미리 도망쳤던 사람이라면 어찌어찌 무사했을 테지.

결과론에 불과하나 무리하게 불러내지 않았던 것이 정답이었다.

—뭐, 죽음은 끝이 아니니까.

—죽는다고 못 사는 것은 아니다.

몇 번이든 부활한다는 불사조와 언데드조차 지배하는 흙의 화신이 꺼냈던 저 말은 저들의 독특한 사고관이라고 생각한다.

탈력감을 달래며 마왕이 있는 방향을 본다.

저자들은 별다른 말 없이 다만 하늘을 올려다보고 있었다.

무리도 아니다. 사람이 생각할 수 있는 전쟁 이상의 사태가 발생했으니 말이지.

도련님께서는 많이 지치셨다.

출발 날짜를 늦춰서라도 오늘은 쉬시도록 하고 내가 당분간 사후 처리를 맡아야겠군.

그 정도는 해드려도 문제는 없을 것이다.

이제 바닥에 남은 「두 팔」과 저기서 볼품없이 굴러다니고 있는 신기도 회수해 둘까.

악용되면 큰일이니까 말이지.

엘드워가 기뻐할 듯한 백은빛 두 팔과 신기, 왕홀을 아공에 전송했다.

마왕 쪽 인물이 뭐라 묻는다면 팔은 사라졌다, 왕홀은 못 봤다, 라고 적당히 잡아떼면 될 테지.

강한 바람이 뺨을 쓰다듬었다.

이마의 땀에 젖어서 머리카락이 얼굴에 달라붙었다.

걸리적거려서 뺨을 쓸어 만지다가 시야에 자신의 머리카락이 비쳤다.

정말 까맣다.

도련님께 힘을 전해 받았던 부작용일까.

이 변화도 조사를 해야 할 터이나……. 지금은 막 움직이기 시작한 마왕에게 대처하는 것이 먼저군.

제프를 선두에 세워 이쪽으로 걸어오는 무리를 보고 나는 우선할 행동을 결정했다.

7

마왕과 장군들, 또한 라이도우와 두 명의 종자가 도시로 돌아왔다.

그 후 라이도우는 제프와 대화하던 중 갑자기 몸을 못 가누고 쓰러졌지만, 마력 감소에 따른 기절이니 큰일은 아니라는 진단이 나왔다.

지금 마왕 제프는 몸소 라이도우를 안아 들고서 민중 앞에 나아가 이 인물이 어떻게 힘을 써주었는가 이야기하고 있었다.

짧은 침묵 후 끓어올랐던 민중의 환성은 흡사 루토의 포효와 같이 도시 전체에 울려 퍼졌다.

주먹을 치켜드는 주민, 눈물 흘리는 주민, 한 번이라도 라이도우를 보고자 밀려드는 주민들.

그 열광은 유서 깊은 이 도시로부터 마족의 땅에 널리 퍼져 나가서 추후 라이도우와 쿠즈노하 상회에 얼마나 많은 이익을 가져다줄지 미처 가늠이 되지 않는다.

바깥 상황을 성의 창문으로 바라보며 사리와 루시아는 어수선한 성안의 어느 방에서 조용히 대화 나누고 있었다.

"이제 라이도우는 우리 마족의 영웅이 됐어."

일절 감정을 내비치지 않으며 사실을 담담하게 중얼거리는 사리.

"나라를 위기에서 구해 냈는데 당연하지. 상인으로 사업을 할 때도 경쟁자가 없을 것이다."

"그 끔찍했던 포효가 도중에 사라진 것도 라이도우의 활약이었다던데."

"덕분에 상태 이상을 유도하는 전법도 대부분은 통하지 않음을 알 수 있었다. 정공법은 애당초 어불성설. 즉 속수무책이다. 그저 웃음만 나오는군."

루시아는 쓴웃음을 지으며 어깨를 으쓱거렸다.

마침 그때 로세와 셈이 문 너머로 얼굴을 내밀며 두 사람에게 말을 건넸다.

"애들아, 곧 폐하께서 복귀하실 거다. 바빠지겠지만 우선 영웅을 마중 나가야지. 서둘러."

"알겠습니다. 먼저 가 계십시오. 저희도 곧 움직이겠습니다."

"천천히 오는 정도야 상관없습니다만, 혹시라도 늦게 도착하면 절대 안 됩니다?"

"물론 알고 있습니다, 오라버니."

두 오라비에게 대답한 뒤 사리와 루시아는 다시 한 번 열광하는 민중과 마왕의 주변을, 더 정확하게는 마왕에게 안겨 있는 라이도우를 바라봤다.

이제 루시아의 눈빛에 라이도우를 적대하는 의사는 티끌만큼도 없다.

"그 싸움을 보고, 아울러 이번 공적을 보고, 나 또한 진심으로 납득했다. 저 녀석을 적으로 만들어서는 안 돼. 그러기 위해서라면 어떤 희생을 치르더라도 괜찮다는 생각이 든다."

"응."

"그러니까 사리. 역시 네가 아니라 내가 역할을 맡도록 하지. 지금의 나는 진심으로 저 남자를 위해 살아가도 괜찮다는 생각을 하고 있으니까."

"아냐, 루시아 언니는 안 돼. 나처럼 어린 외모여야 저쪽에서도 거부를 하기 어려울 거야."

"하지만."

"게다가 벌써……. 봐."

그렇게 말하며 루시아의 반론을 물리친 사리는 자신의 옷 가슴께를 풀어 헤쳤다.

"아!! ……그런가. 하지만 만약 이쪽으로 연락을 할 수 있게 되었을 때 나의 힘이 필요하다면 주저하지 말고 의지해라. 알겠나? 사리."

루시아는 일순간 숨을 멈춘 뒤 서글프게 웃으며 여동생의 어깨에 손을 얹었다.

"고마워. 그때는 사양하지 않을게. 약속이야."

"그나저나 정말 행동이 빠르군. 도대체 어느 틈에……. 그 의식에는 대상의 몸 일부가 필요하건만."

루시아는 새삼 사리의 앞가슴에 시선을 가져갔다.

사리가 보여준 것은 가슴에 있는 자국. 멀리서는 타원으로 보일 뿐이지만 실제 형태는 사슬과 글자가 뒤얽혀 있는 목걸이여서 좋은 취향이라 말해주기는 어려운 문양이었다.

눈에 힘주면 작은 글자를 포함해서 복잡한 진법이 형성되었음을 알 수 있었다.

특수한 의식의 결과 각인되는 이 문양이 어떠한 의미를 갖는지 루시아는 잘 알고 있었다.

그래서 루시아는 「이미 늦었음」을 인정하고 더 이상 사리에게 의견을 제시하지 않은 채 물러났다.

"라이도우는 이런 부분에는 엄청 둔감해. 신전에서 돌아올 때 흰머리가 있습니다, 라고 말했더니 바로 뽑게 해줬어."

"……평소에는 정말 다루기 쉬운 녀석이군."

"응, 만만해. 하지만 그래서 더 무서운 사람이야. 우선 신뢰를, 그다음은 가능하다면 조금이라도 많은 마족을 저 사람들 틈에 들여보내는 게 목표야."

"옳은 생각이다. 다만, 난 성공을 기도할 수밖에 없는 처지구나. 자, 슬슬 우리도 가자. 폐하와 구국의 영웅을 마중 나가지 않는다면 민중의 반감을 살 테니."

사리와 루시아는 마중 인파에 끼기 위하여 방을 나가서 빠른 걸음으로 복도를 나아갔다.

"……나의 역할은 중대해. 여기에도, 다시는 돌아올 수 없어. 하지만……. 조금은 기대되기도 해. 라이도우가 어떻게 자랐고 어떤 생각을 하는 사람인지. 호기심이 끊이지 않아."

작게 흘러나온 사리의 독백은 떠들썩한 소리에 묻혀 사라졌다.

"라이도우가 깨어났다고 합니다."

성의 응접실로 돌아온 로나가 제프의 옆에 앉아서 보고했다.

곧장 반응한 것은 거구를 가진 두 상위 정령, 페닉스와 베헤모스였다.

"하루 반. 회복이 무척 빠르네."

놀라움에 앞서 약간은 기막힌 감정이 묻어나는 페닉스의 말.

베헤모스도 고개를 크게 끄덕이며 동의의 뜻을 표시했다.

"그 인물이라면 납득도 가는 심정이군."

이 자리에는 제프와 로나, 그리고 정령 둘뿐이었다.

이오와 레프트는 각각 혼란을 수습하고자 나갔기에 부재중이다.

오히려 로나도 가진 지위는 두 장군과 같은 직무를 맡아야 할 입장이며 다른 장군들의 부재보다도 로나가 이곳에 있다는 것이 더 부자연스럽다고 말할 수 있었다.

참고로 모크렌은 평소부터 반드시 필요한 회의 이외에는 웬만하면 출석하지 않는다. 성격상 연구야말로 진짜 목적이며 국가에 대한 최대의 공헌이기 때문이다.

"두 분께서는 라이도우를 어떻게 보고 계십니까?"

격식을 차려 제프가 정령들에게 물었다.

"혹여 포섭할 생각이라면 일찌감치 관두렴. 그자는 칼집 없는 검. 게다가 무엇이든 전부 두 동강을 낼 만큼 날카로운 칼날이 달려 있는걸."

"동감이다. 아무리 큰 힘이라도 실수 하나로 나라가 멸망한다면 그러한 힘을 가지려 듦은 옳지 않구나. 결국에는 반드시 감당이 안 될 테니. 인간은 그런 종족이잖나."

"요컨대 건드리지 말라는?"

"그런 뜻이야. 사고를 유도하기는 쉬워 보이는 아이니까 너희도 이것저것 생각이 많았을 것 같기는 한데. 전부를 손에 넣느냐, 모든 것을 잃어버리느냐— 도박을 자꾸 반복하는 건 좋지 않아. 너희는 여신에 대한 반역, 게다가 그 수단으로 이미 종족의 명운이 걸린 도박을 시작해버린 처지잖니."

"우리도 마족의 편만 들어주는 존재는 아니다. 이 땅의 모든 종족에게 힘을 빌려주는 것이 본래의 자세. 이 같은 입장에서 들려주는 조언이기도 하다만, 라이도우를 전쟁에 이용하지 말거라. 더 욕심을 부린다면 우리도 너희에게 침묵을 고수하게 될지도 모른다."

"……땅과 불의 정령님은 아정령(亞精靈)이라며 비난을 받는 와중에도 저희 마족에게 쭉 힘을 빌려주셨던 존재. 라이도우는, 말씀하신 바를 최대한 준수하겠습니다. 그자를 전쟁에 참가시키고자, 또한 이용하고자 하는 시도는 없을 것입니다."

제프의 말에 상위 정령이 안도하는 분위기를 드러냈다.

사람을 초월한 존재라는 상위 정령이 사람의 행동 하나에 기뻐하고 걱정을 한다— 로나는 직접 보고도 놀라는 한편 본인의 마음 속에서 라이도우라는 존재에 대한 불안감이 한층 더 거세지는 것을 느꼈다.

"그러면 됐어. 제프, 여신님은 지금 대단히 움직이기 곤란한 상태에 계셔. 이 정보는 네가 내려준 현명하고 용기 있는 결단에 대한 포상이야."

"분명 현명한 결단이군. 라이도우는 건드리지 않는 것이 최선. 우리의 이 뜻을 여신님께도 전해드리고 싶군. 하지만 과연 귀를 기울여주실지는……."

상위 정령들은 거구를 흔들거리며 사라졌다.

은혜를 받는 아인(亞人)과 은혜를 베풀어주는 정령의 대화는 끝났다.

"정령마저도 두려움을 갖고 여신에게 의견을 올리고 싶어지는 존재인가. 완전히 나의 이해 범주를 넘어가는군. 그렇다면 라이도우가 졸도할 지경까지 힘을 쏟아서 꺼냈던 그 팔은, 역시나…… 소환이 아닌 창조였나?"

"강력한 마도구의 소환이라기에는 마력이 너무 과하게 소모되었다고 말은 들었습니다. 다만 창조는 신의 조화. 만약 라이도우가 정말 이루어 냈다면 그자는 사람의 영역을 초월하려 드는 단계라는 뜻이 됩니다. 아무래도 생각이 지나치신 게 아닐까요."

"훗. 보통은 그리 넘겼을 테지. 다만 용군왕홀의 사건을 겪고 나니까 아무리 작은 가능성에도 눈길이 가게 되는구나. 왕으로서는 경솔한 발언이었다. 용서해라."

"왕홀이 발동되어 설마 루토를 불러낸 것은 저도 조사가 부족했습니다. 그들이 의지할 만한 수단으로 적당하며, 아울러 쓸데없는 녀석들을 치우는 데 좋은 기회가 될 것이라 생각했었습니다만……."

"그 부분도 말이다. 라이도우는 용을 보자마자 루토라고 불렀지. 즉 녀석은 용의 정점과도 인연을 맺었을 가능성이 있다. 다만 현시점에서는 진짜 루토였다는 확증이 아무것도 없군. 그런 끔찍한 공격을 구사할 줄 아는 용이 더 있을 것 같지는 않다만."

"루토의 외형에 대해서는 이미 조사를 시작했습니다. 다만 설령 라이도우와 루토가 지인 관계이든 아니든 녀석의 위험성은 이미 최상위. 지금 저희에게 라이도우를 배제 가능한 수단이 없다는 것은 달라지지 않습니다. 결국 루토가 맞았는지 아니었는지 확인을 하는 이상의 의미를 갖는 정보는 못 되겠지요."

"그러할 테지. 거참, 머리가 아파지는구나."

"……."

제프는 잠시 말을 멈췄다. 로나도 침묵으로 대답했다.

라이도우 관련의 문제는 별로 호전될 것 같지가 않은 분위기다.

"아무튼 로나, 이번 작전에 고생이 참 많았구나. 마지막에 부상을 입히고 만 것은 짐의 부주의였다. 미안하다."

"이 몸은 전부 폐하의 것입니다. 개의치 마십시오. 폐하께서 손을 더럽히지 않아야 할 문제는 전부 제가 처리하겠습니다. 그 더러움은 저의 긍지입니다."

"……너에게만 거듭 의지하면서 어찌 마음이 편하겠느냐. 짐의 미숙함이 너를 다치게 했다. 그것이 얼마나 큰 아픔인지 모르겠구나."

"저는 폐하께서 만들어주실 나라를 더 보고 싶습니다. 당신께서 기뻐하시도록 힘쓰고 싶습니다. 그뿐입니다. 저는…… 마족도 마왕도 아닌, 오로지 제프 님만을 섬깁니다. 폐하께서 의지해주신다면 그것은 바라 마지않는 기쁨입니다."

로나는 제프가 건넨 사죄의 말에 밝은 웃음을 띠고 대답했다.

상대가 누구든 간에 상황에 따라서 온갖 표정을 적절하게 구사할 줄 아는 로나가 오직 제프에게만 보여주는 진실된 웃음이었다.

단순히 왕과 신하의 관계라기에는 너무나 두터운 모습— 누가 봤다면 의문을 떠올렸을 표정이었다.

"……그렇다면야. 짐이 생각하는 나라를 조금이라도 실현시킴으로써 보답할 수밖에 없군. 짐은 엄격한 신하를 두었어."

"마음껏 부려 먹어주십시오."

"그래, 로나. 반란 분자들의 현 상황은 어떤가?"

"예. 얼마 전 폐하를 습격했던 일련의 사건에서 과격파의 주요 인물은 모두 사망했습니다. 먹이를 아주 잘 물어서 쏟아져 나왔지요."

"그 남자도, 짐의 힘이 되어주었다면 의지할 만한 인재였을 텐데 말이지."

"회유는 불가능했습니다. 그 남자는 폐하께 깊은 증오가 뿌리박혀 있었으니가요."

"하기야. 그래, 지금 **반란 분자들 사이에서 네 지위**는 어느 정도까지 올라갔나?"

"주요 인물이 처분됨으로써 의사 결정에 관여하는 지위 중에서도 첫 번째, 두 번째에는 위치하고 있지 않을까 생각됩니다. 몇 개월쯤 더 지나면 수장이 될 수 있겠지요. 어쨌든 간에 이번에는 장군의 지위를 활용해서 정보를 빼돌렸고, 비록 실패했으나 폐하의 목 앞에 한 발짝을 남겨 둔 곳까지 칼날을 들이댔던 셈이니까요."

"라이도우가 마족의 영웅이라면 수트 가문의 유복자인 너도 지금은 반란 분자들의 영웅인가."

"폐하께서 반란 분자 중 한 사람에게 날린 공격을 제가 막아준 듯 연출했던 것도 효과가 좋았습니다. 비록 의견을 달리하는 관계이더라도 동포를 지키고자 한다— 그러한 인상을 가져주었을 테지요."

로나는 입가에 미소를 띠고 보고했다.

제프가 얼마 전 언급했었던 정보 누설의 출처는 다름 아닌 로나였다.

게다가 왕은 이미 알고 있었다. 로나의 또 다른 이름과 그 의미를.

반란 세력이 이 대화를 들었다면 얼마나 큰 절망을 느꼈을지, 또한 제프와 로나에게 증오를 불태웠을지 상상하기는 어렵지 않다.

"바로 급소를 피하기는 했으나 그때는 간담이 아주 서늘해지더군."

무장 집단이 난입한 직후 혼란을 틈타 제프에게 다가들었던 예리한 칼날이 있었다. 진짜 기습이었다면 제프의 몸에 격중되었을

지도 모를 만큼 혼신의 힘이 실렸던 칼날. 하지만 모든 계획은 로나를 통하여 이미 제프에게 보고되었다. 로나는 자객과 함께 제프를 습격하는 촌극을 연출했고, 또한 제프에게 격퇴당하여 상처를 입었다. 전부 계획한 대로.

"그 자리에는 모크렌도 같이 있었으니까요. 제가 죽을 리 없다고 확신했습니다."

"장군의 지위에 있는 짐의 측근이 자신들의 주력이니 마왕의 목을 딸 기회는 충분히 있을, 터……. 그들에게 꽤 든든한 존재가 되었겠구나, 너는."

"예, 그렇습니다. 실상은 반란 세력이 결코 폐하를 방해하지 못하도록 제어하려는 목적입니다만."

"방패만으로 몸을 지키는 데는 한계가 있다. 가장 좋은 것은 방패와 검을 가지고 감독하는 방법이겠지. 지저분한 역할이다만……. 로나, 앞으로도 잘 부탁하마."

"예. 우선은 반란 분자들의 수장이 되겠습니다. 전부 폐하께서 뜻하는 대로 이루어질 것입니다."

응접실에서 단둘이.

마족 내부의 최고 기밀에 해당하는 대화는 조용하게 끝났다.

픽 쓰러져서 마왕님한테 공주님 안기를 당한 데다가 하루 반나절 동안 쭉 잠만 잤던 라이도우입니다.

멋있게 마무리를 맺을 생각이었는데 마지막 잠깐을 못 버텨서 전부 망해버렸어.

토모에한테 소식을 전했더니 기뻐하면서 빨리 돌아오라더라. 미오는 깨어났을 때 침대 안에 같이 있었고. 시키는 눈 아래에 다크서클이 생길 만큼 열심히 일해준 것 같아!

내가 이렇게 사고를 치다니.

아, 장발 버전의 미오는 깨어났을 때 단발머리로 돌아와 있었다.

시키의 흑발도 원래대로 다시 붉은색이다.

아마 일시적인 변화였나 봐.

마족의 도시는 의외로 무사했던 모양이었다. 건물이나 주민에게 피해는 약간 발생했지만, 벌써 활기가 가득 차 있었다.

제프 폐하가 「백성들에게 자네의 위업을 잘 설명했다네」라고 말하길래 무슨 소린가 싶었는데 실제 거리에 나가 산책을 하다 보니까 말뜻을 알 수 있었다.

금세 인파가 몰려서 북새통에 시달려야 했고, 노점의 음식은 전부 다 공짜— 게다가 거의 억지로 입안에 넣어 먹여주는 판국.

엄청난 고문— 아니, 환영이었다.

정신 차렸을 때는 선물을 잔뜩 끌어안은 채 성문 앞쪽에 서 있었지.

진짜 굉장했어.

게다가 그 많은 사람들 틈에 둘러싸여서 도무지 정신을 차릴 수 없었는데도 지갑이라든가 소매치기를 당하지 않았다.

마족의 도시는 분명 치안이 썩 대단하진 않았을 텐데.

아무튼 진짜 무지하게 고맙다, 짜샤. 이런 느낌이었다.

뭐, 루토의 브레스를 제대로 잘 막아줬으니까 이 정도 이득은 봐도 된다고 납득하자.

밤에 또 개최된 연회 자리에서는 성 바깥의 거주 지역에도 같이 마련한 떠들썩한 축제 분위기와 어우러져서 끝내 아침을 맞이했다.

내가 막 회복된 참이라서 미리 당부를 했었는지 제프 폐하와 장군들 이외의 사람들은 딱히 접촉하려 들지 않았고, 멀리서 이쪽을 주목만 하며 넘어갔다.

—그래도 개인적으로는 시선 자체가 고통이었지만.

연회 자리에서 가볍게 인사를 나눈 정도였는데 금방 반응이 있었다.

다음 날 아침, 시키가 보여준 것은 산더미 같은 서신들. 전부 다 영지를 받은 마족이 보낸 편지였는데 꼭 자기네 영지에 장사를 하러 와달라고, 아니, 아무튼 초대할 테니 한 번은 들러달라는 내용이었다.

숲도깨비와 고르곤, 그리고 익인을 몇 명씩 편성해서 순서대로 돌아보고 오게 시키는 것도 괜찮을 듯싶다.

물론 가게를 내면 나도 적당히 얼굴을 내밀어야 할 테니까 실제 가게를 만들지 여부는 너무 서둘러 결정하지 않는 게 좋겠다고 머릿속에 담아 두었다.

당분간은 행상 위주로 해도 문제야 없을 테니까.

그런고로 마지막에 창피를 좀 당했지만, 우리는 무사히 마족의 도시에서 떠나는 날을 맞이했습니다.

아, 물론 마족에게 귀환 중 호위는 필요 없다고 전달했죠.

안 그래도 복귀가 늦어졌는데 또 며칠씩 들여 이동하는 처지가 되면 강의에도 상회에도 안 좋은 영향을 끼치니까.

눈보라에 숨어서 곧장 아공으로 돌아가자는 계획이다.

"그러면 폐하. 뜻하지 않게 오랫동안 체류했습니다만, 이만 실례하겠습니다."

"유감스럽군. 라이도우 공에게 다른 도시도 이곳저곳을 보여드리고 싶었네만."

미련이 있는 듯 티를 내면서도 제프 폐하는 결국 루토 사건 이후로 결혼 이야기도 안 꺼냈고, 대부분의 협의를 시키와 진행해줘서 나한테는 엄청 편한 사람이 됐다.

이것도 예의상 하는 말이겠지.

"저도 꼭, 다음 기회에는 더 많이 돌아보겠습니다. 열렬한 초대장도 몇 통인가 받았으니까요, 잠시 잡무를 정리한 뒤에 나라 안을 돌아다녀보고 싶네요."

"그래주면 다들 기뻐할 걸세. 수고스러울 터이나 잘 부탁하지."

"네. 과분한 환대, 마음에 새기겠습니다. 이만 실례하겠습니다."

좋아, 집으로 돌아가자. 그렇게 지금 막 다리를 떼려던 순간—.

"아, 기다려주게, 라이도우 공."

제프 폐하가 나를 불러 세웠다.

"마지막으로 딱 하나, 마족이 줄 선물이 있네."

……그냥 가버릴까?

……으, 「마지막으로 딱 하나」라는 부분에서 뭔가 불길한 예감이 든다.

"무엇인가요? 폐하."

"……사리."

"네."

사리가 사람들 틈을 누비고 모습을 드러냈다.

"……사리 공?"

그러고 보니까 오늘은 줄곧 얼굴을 못 봤었는데 차림새를 보고 위화감이 느껴져서 무심코 이름 불렀다.

뭐랄까.

메이드 코스프레— 아니, 진짜 메이드복이다.

마족들도 이른바 하녀분들이 입는 옷인데 딱히 장식을 하지 않아서 내가 저 말을 들었을 때 연상하는 것보다 훨씬 단출한 모양새였고 프릴도 조금만 달아 놓았다.

꽤 수수한 인상의 옷이다.

프릴을 듬뿍 단 종류는 상회에서 아쿠에리아스 콤비가 메이드 데이라는 명목을 붙여 금요일마다 입고 있다. 가끔은 파자마 데이로 바뀌니까 그냥 얼렁뚱땅이지만.

—아무튼, 그건 아무래도 좋아.

왜 사리가 저런 옷을 입고 있느냐가 문제다.

"라이도우 공. 아뇨, 주인님. 약속드린 대로 이 몸을 당신께 바치고, 평생을 시종으로서 섬길 것을 맹세합니다."

사리는 전혀 망설임도 없이 무릎을 꿇더니 머리 숙였다.

……넹?

"……도련님, 이게 도대체 어떻게 된 일일까요?"

미오가 고고고, 효과음이 나올 것 같은 배경을 등에 지고 있다.

하지만 나도 전혀 상황을 모르겠어!

"……엥. 아니야. 몰라, 전혀."

간신히 떠듬떠듬 대답했다.

"그럼 이 꼬마가 정신을 놓은 거네요. 바로 처분하겠습니다."

"잠시만 기다려주십시오, 미오 님. 제가 주인님께 말씀 올렸던 「약속」은 미오 님도 같이 들으셨습니다."

"전혀 기억에 없는 말이에요. 헛소리 늘어놔도—."

사리가 푹 숙이고 있던 얼굴을 들어 미오에게 답한다.

아, 완전히 얼어버렸어.

미오가 뒤숭숭한 소리를 꺼내는데도 잠깐 말리는 걸 까먹었다. 하마터면 마족의 요인이 눈앞에서 내 종자한테 살해당할 뻔했다.

"저는 정령 신전의 폭주 사건 때 스스로의 힘을 알지도 못한 채 주인님께 무리한 부탁을 드렸으며, 게다가 「반드시 여러분을 무사히 귀환시키겠다고 나의 이름과 목숨을 걸고 약속하지」라는 말까지 올렸음에도 결국 보호만 받고 말았습니다. 따라서 이름과 목숨을 바친 저 사리는 오늘부터 주인님의 소유물이 되었습니다."

"뭐, 뭐, 뭐야!"

단숨에 쭉 말을 늘어놓은 사리는 느닷없이 옷깃부터 상의를 풀어 헤쳐서 앞가슴을 노출시켰다.

……아니, 그래 봤자 애는 빨래판 몸이거든?

딱히 욕정은 안 합니다만, 순수하게 당황스럽다.

"이것은."

사리가 앞가슴에 있는 타원형의 고리 비슷한 자국을 가리켰다.
문신인가?
“라이도우 님을 주인님으로 목숨을 바쳐 복종할 것을 맹세하는 증거입니다. 마족에게 전해지는 의식으로 이미 효력을 발휘하고 있습니다. 저는 주인님을 위해 마족의 정보를 유출할 수는 있어도 마족을 위해 주인님의 정보를 유출하지는 못합니다. 배반의 우려 없이 편리한 도구로 사용하실 수 있습니다.”
“그럼 마족에게 돌아가서 그냥 예전처럼…….”
그렇게 말을 꺼내던 중에 제프 폐하가 끼어들었다.
“안타깝지만 불가능하다네, 라이도우 공. 이 의식, 마족에게는 곧 극형. 생명에 뿌리를 둔 가장 오래된 의식을 끊임없이 개량하고 있는 마족의 비장의 의식이기도 하지. 해제의 대가는 피술자의 혼이 파괴되는 것. 어지간한 중죄를 범한 죄인에게도 시술을 망설이는 형벌일세.”
“아뇨, 딱히 해제는 안 되더라도 제가 명령해서 따랐다고 하면 되지 않나요.”
“라이도우 공의 말 한마디에 마족을 반드시 배반하게 될 인물을 마왕의 자식으로 계속 남겨주는 것은 불가능하네. 유감스럽네만 정무와 관련해서도 이 아이의 자리는 추후 일절 없다네. 아니면 자네 나라에서는 극형을 받은 자가 다시금 나라에 복귀하여 원래의 생활을 보내는 것이 수월하던가?”
“윽…….”
그렇다고 마족 메이드 꼬마를 데리고 돌아가라는 건 상식적으로 무리잖아?

황야의 끝 기지라면 모를까, 롯츠갈드에서는 많이 힘들어.

츠이게라면 혹시— 잠깐 생각했지만, 렘브란트 씨 개인은 몰라도 도시 전체가 받아들여주냐는 것은 다른 문제다.

상회에 두지 못하는 사람을 받아도 솔직히 난처하다.

그뿐 아니라 이 아이의 인생은 이미 끝장났다는 식의 말을 들어도…….

"역시 죽이는 게 좋겠어요. 그게 본인에게도 저희에게도 마족에게도 가장 좋은 선택인걸요. 내세에서는 멍청한 실수를 하지 말라고 기원해주면 안심하고 죽을 거예요, 분명히."

나와 폐하의 대화를 듣다가 인내심이 바닥났는지 미오는 누가 듣든 거리끼지도 않고 의견을 제시했다.

다만 사리는 끝까지 동요하지 않았다.

"……그것이 주인님의 생각이십니까?"

"도련님, 어서 말씀해주셔요. 걸리적거린다고요."

왜 이런 문제를 나한테 떠넘기는 거야.

어떡하지?

우리가 의식을 해제해줄 수 있다면 그것을 전제로 당분간 맡아주는 방법도…….

"……시키, 이 의식 해제할 수 있어?"

"그런다고 문제가 해결될지는 알 수 없습니다만, 일단 시간을 들인다면 해제는 가능합니다. 요컨대 수순을 무작정 복잡하게 꼬아 놓은 것이 전부인 듯하니까요. 이 아이도 죽지는 않을 겁니다.

다만 해석하는 데 상당한 시간이……. 10년, 20년이 걸린다 한들 이상할 게 없습니다."

길어……!

"그 기간 동안 무엇을 이야기할지 모르는 이상 역시 사리는 마족에게 돌아오지 못할 걸세. 그때도 짐이 마왕이라면 잘 숨겨서 은거 생활을 보장해주는 정도는 약속하지."

저 말에서는 「알겠다고 말하지 마라」라며 나를 압박하는 기운이 명백하게 느껴졌다.

마지막에 이런 수작을 남겨 놓았구나, 제프 폐하.

"만약 주인님께서 죽으라 말씀하신다면 이 자리에서 목숨을 끊어 보이겠습니다."

사리는 표정 한 번도 바뀌지 않고 단언했다.

아, 열이 확 오른다. 죽음을 아주 가볍게 받아들이는군?

이 사리라는 아이는 마왕의 자식답게 유망했을 텐데.

물론 사람이 간단히 죽기는 하지.

약속을 운운하고 할 일을 남겨 둔 사람이 자기 목숨을 대뜸 내던지는 것은 뭔가 좀 아니다.

"그렇게 쉽게 죽는다는 말을 꺼내면 안 됩니다, 사리 공."

"하지만 저는 이미 주인님의 소유입니다. 고통 받으라 말씀하시면 고통 받을 것이고 죽으라 말씀하시면 죽겠습니다. 약속을 지키지 못한 제게는 어울리는 모습입니다."

"아무것도 아닌 약속 하나로 버릴 만큼 당신에게 목숨은 가벼운 것이었나요?"

"제게는 아무것도 아니었다고 가볍게 생각하실 만한 약속이 아니었습니다."

"그러면 그런 사람을 저는 필요로 하지 않습니다. 저는 자신과 함께 지내는 사람은 오래 살아주기를 바라니까요."

"……알겠습니다."

"?!"

일순간의 행동.

사리가.

재빨리 꺼낸 단검으로 자신의 목을 찔렀다.

야! 죽으란 말은 안 했잖아?!

"사리 공?!"

대답은 없다.

그야 없을 수밖에.

아무튼, 이상하다.

제프 폐하도, 장군들도, 아무도 움직이지 않는다.

"시키, 살릴 수 있어?!"

"굳이 살리시렵니까? 필요 없다고 말씀하신 인물을?"

"있잖아. 내가 필요 없다고 말한 게 죽으라는 뜻은 아니거든! 애당초 이 애는 마족에서 중요한—."

시키는 차분하게 고개를 옆으로 흔들었다.

"중요한 존재라면 저희가 굳이 나서지 않아도 저들이 이미 움직였겠지요. 즉 사리 공은 이미 마족들 사이에서 지위를 완전히 잃어버렸습니다. 맡아주실 뜻이 없으시다면 미오 님이 말씀을 올렸

듯이 이대로 죽게 해주는 것이 오히려 좋지 싶습니다. 살아 봤자 제대로 된 생활을 누릴 순 없을 테니까요.”

폐하를 본다……. 아니, 노려본다.

어쨌든 자기 딸로 키워왔던 아이잖아? 그런데 이렇게 쉽게 내버린다고?!

“라이도우 공. 말하고 싶은 바는 알겠네. 다만 사리는 누구에게도 상의하지 않고 혼자서 라이도우 공의 머리카락을 손에 넣어 의식을 치러버렸다네. 그리고 이 의식은 마족 사이에서는 최악의 낙인 중 하나이지. 우리에게는 사리를 구할 방법이 없네. 이 같은 상황에서 짐의 개인적인 감정은 무의미하니.”

마족은 아무도 움직이지 않았다.

그만큼 이 의식에는 절대적인 의미가 있다는 뜻이다.

루시아는 무엇인가를 견디려는 듯 입술을 꽉 깨물고도 끝내 움직이지는 않았다. 단지 가만히 나를 바라보고 있다. 적의는 없었다. 동시에 사리에 대한 정도 느껴지지 않았다.

젠장, 이게 나 때문이야? 왜 나를 노려봐. 아니, 사실은 노려보는 게 아니다. 단지 내가 그렇게 느꼈을 뿐…….

사리가 혼자 의식을 진행해서 예속을 자처했을 뿐인데! 대체 왜 이렇게 된 거야?!

미오도, 시키도 조용히 지켜보고 있다.

어떡하지?

이대로 죽게 놔두라고?

사리한테는 별 대단한 면식도 없고 특별한 감정도 없다.

묘하게 어른스러워서 아이다운 면이 부족하다는 인상은 받았지만, 그렇다고 아이다움을 가르친다든가 쓸데없는 마음은 갖지 않았다. 어른 노릇에 고생이구나. 그 정도로 생각했을 뿐이다.

그러면…… 괜히 귀찮기만 하면 내버려 둬도…….

"라이도우 공. 그 노예와 관계없이 잠시 말하기를 잊은 사안이 있네. 잠시 시간을 내어주겠나?"

폐하가 바닥에 엎드려 있는 사리의 옆을 쓱 지나쳐서 내게 다가왔다.

저 출혈량은, 슬슬 위험할지도 모른다.

이런 상황에 대체 뭔 소리를 하려고.

"폐하, 아니요, 저기."

"괜찮네. 잠시뿐이니."

우유부단하게 결정도 못 내리고 있는 나를 폐하가 살짝 떨어진 곳으로 데려갔다.

군중도, 사리도, 미오와 시키도 보이는 위치였다.

'실은 말일세, 라이도우 공.'

그렇게 거리를 벌린 뒤 제프 폐하는 새삼 염화를 써서 말을 걸어왔다.

'사리는 말이지, 마왕의 자식 중 유일하게 짐의 피를 이어받은 딸이네.'

윽.

핏기가 싹 가시는 것을 느꼈다.

진짜 아빠이고 줄곧 아버지로서 접한 사이인데도 폐하는 사리에게 이런 태도를 취하는 건가.

왕의 처신을 계속 고집할 작정인 건가.

'한때 곁에 두었던 첩이 낳은 아이인지라 본인도 알지 못하네. 짐은 아직껏 결혼을 하지 않았으니 친자는 없는 것으로 되어 있어서 말일세.'

'당신은, 친자식을 죽게 내버려 둘 작정입니까?!'

'방금 전에도 한 말이네만, 스스로 최악의 노예 낙인을 찍은 이상은 감싸줄 수단이 없네. 설령 친자가 아니더라도 마왕의 자식인 이상 최대한 보호를 하지. 한데 이것은 그 범위조차 벗어나버린 사건이라네.'

'그럼 친자식이라는 사실을 제게 알려준 의미는 뭐죠?!'

'……저 아이를 라이도우 공에게 맡기고 싶네. 결혼 따위는 바라지 않아. 저런 낙인도 있는 몸이니. 다만 곁에다 두고 써주길 바랄 뿐이라네. 어떤 고된 임무를 맡겨도 상관없어. 그것이 저 아이의 바람이기도 하니까. 다만 한 번만, 너무 늦었을지언정 아버지로서 딸의 고집을 이루어줄 수 있게 도와주면 안 되겠는가.'

'그따위 바람을, 말인가요? 폐하, 너무 비겁해요! 비겁하잖아요?!'

'물론 잘 알고 있다네. 뭐라 경멸의 말을 쏟아부어도 감수할 생각이네. 다만 짐은 왕으로 처신하기를 멈출 수 없을 따름이야. 그러니까 이렇듯 비겁한 방식으로 부탁을 했지. 할 이야기는 끝났군. 시간을 빼앗아서 미안했네.'

나의 몸을 놓아준 뒤 제프 폐하는 원래 자리로 돌아갔다.

정작 사리는 한 번 쳐다보지도 않는다.

젠장.

젠장!!

나는………….

………….

…….

"아마 사리는 후회할 거야. 성급하게 몸에 낙인을 새겼다고."

"아니요. 평생 후회하지 않을 겁니다. 주인님께서 직접 명령하시지 않는 한."

"……그 말투는 관둬. 가장 말하기 쉬운 말투로 괜찮으니까."

"……알았어. 그렇게 할게, 주인님."

배웅을 나온 사람들과 헤어진 뒤 눈보라 속에서 우리는 멈춰 서 있었다.

이제 마족은 우리를 보지 못한다.

육안만 피할 수 있다면 마술적인 탐색은 시키가 방해해줄 테니 안심이다.

그러니까 이런 곳에서 멈춰 서 있는 거지만 말야.

"도련님은 너무 착하세요. 개나 고양이가 아니니까 대뜸 주워 오시면 곤란하다고요. 저런 여자애, 아무짝에도 쓸모없을 텐데 말이죠."

여전히 언짢아하는 미오가 뺨을 볼록거렸다.

"저는 어쩐지 주워 오시리라 생각이 들었습니다만, 어떻게 하실 마음이십니까? 마족인지라 상회에 두고 점원을 시키기는 어려울 텐데 말입니다."

뭔가 아까는 시키도 되게 싸늘했었지. 시키 나름대로 나를 생각해줘서 한 행동이었겠지만.

나도 나대로 고민하고 고민한 끝에……. 결국 그 자리에서 내린 판단은「살린다」였다.

그냥 방치하는 선택도 충분히 가능했기에 막상 엄청나게 갈등했지만 말이야.

다만 앞으로 맞이하게 될 생활이 마족의 일원으로서 애써왔던 사리에게는 도저히 지내기 좋은 환경이 될 것 같지도 않았다.

이 아이에게는 힘든 인생이 기다리고 있을 테지만, 본인이 잘 버텨주는 수밖에 없다.

나의 말 한마디에 진짜 죽음을 선택할 정도니까 불평은 안 들어준다.

그렇지만 사람에게서 삶의 자유를 빼앗는 결단이라는 게 전장에서 목숨을 빼앗는 것보다도 어째서인지 버겁게 느껴졌다.

"롯츠갈드도 츠이게도 안 된다면 남은 데는 한 군데밖에 없잖아."

"아, 켈류네온입니까? 그곳이라면 마족이어도 뭐, 제1호로서 노력해줄 것을 기대할 수는 있겠군요."

시키가 켈류네온으로 지레짐작을 하고 찬성했다.

아냐. 켈류네온에선 겉돌게 될 게 뻔하잖아.

거기에 마족을 이주시키자는 이야기도 제프 폐하가 잠깐 꺼냈었는데 만약 진행한다면 일정 이상의 인원수를 동시에 받아들일 생각이니까 사리 혼자서 제1호가 되진 않는다.

언젠가 장래에도…… 아마 무리일 거라 생각해.

"아니, 아공에 데려가겠어."

다시금 시키의 말을 부정했다.

"「!」"

"난 결정했어."

"도련님, 하지만 그곳에서도 이 아이는 외톨이인데요? 다른 마족은 아무도 없는걸요."

미오는 사리를 여전히 주워 온 동물을 보는 듯한 눈으로 바라보며 살짝 한숨 쉬었다.

"게다가 쿠즈노하 상회의 기밀 중 기밀입니다. 의식에 뭔가 수작을 부려 놓지는 않았나 조사하기 전까지는 피하는 것이 무난하리라 여겨집니다만."

시키도 고개를 끄덕이며 살짝 눈살을 찌푸렸다.

"괜찮아. 사리는 아공에서 평생 못 나갈 거야. 그러니까 뭘 알든 깨닫든 의미 없어. 절대 탈옥할 수 없는 감옥방에서 평생 군일이나 하며 살아야 할 테니까."

"나는 어디로 데려가든 주인님이 내린 결정이라면 반론하지 않아."

"그래, 알아. 지금 당장 데려갈 거야. 사리의…… 마지막 거처가 될 장소로 말이지."

하다못해 거기서 이 아이가 마족이라는 처지를 잊고 무엇인가 삶의 보람이라도 찾아내준다면 나의 죄책감도 조금은 엷어지겠지.

죽게 내버려 두지도 못하고, 그렇다고 제대로 마주하며 받아들여주지도 못하고.

이도 저도 아닌 애매한 판단이라고 나도 생각한다.

적어도 사리의 행동은 돌발적인 것이었고 마족의 조직적인 의도는 아니다— 의식에 대한 반응에서 이렇게 판단할 수는 있었다.

그것 하나가 위안이지만…….

아직도 마음이 많이 약하구나, 나는.

솔직히 「팔」만들어 냈을 때 너무 깊숙이 잠겨 들어가서 이상한 느낌이었던 이유도 있다.

그러니까 사리를 불쌍하다고 생각하는 평범한 사람 같은 감정을 단순하게 따라간 탓인지도 모르겠다.

아공 귀환은 오랜만이다. 게다가 새로운 주민을 데리고 돌아가는데도 아주 무거운 기분이야.

빨리 기분 전환을 해야겠어.

아직 마력도 다 회복되지 않았으니까, 잠깐 휴식을 취하는 것도 괜찮겠다.

아, 저질렀다.

최악이 아니려나.

나는 꿈을 꾸고 있었다.

또 「그」 꿈이다.

상당히 지친 상태니까 오늘은 아공이 아닌 롯츠갈드에서 쉬어야 했다.

멍청했다.

직감적으로 최근 반복되는 기묘한 꿈, 토모에도 조사하지 못하는 정말 기묘한 꿈을 꾸고 있다고 깨달은 뒤 내심 머리를 부여잡았다.

주위가 온통 새카만 공간이라서 이번에는 아직 아무것도 안 보이지만, 이곳에는 역시 나 아닌 「나」가 있을 거라고 생각한다.

……어휴.

'증오한다.'

응?

'증오한다. 나는 전부를 증오한다. 여신도, 이딴 빌어먹을 세계도, 이곳에 살고 있는 녀석들도—.'

이제까지와는 전혀 다른 패턴이다. 시야는 전혀 밝혀지지 않는데 아마 이것은 「나」의 사고라고 짐작된다.

'착한 사람인 척 남을 이용할 대로 이용한 그 여자도, 하렘을 만들어 남의 여자에게까지 손을 대려고 했던 색골 자식도, 전부 다 구역질이 난다!'

또 상당히 극단적인 생각이네.

여신과 세계의 지독함은 긍정할 수 있지만, 착한 사람인 척하는 여자라면…… 혹시 히비키 선배인가? 그리고 색골 자식은 틀림없이 토모키겠고.

용사 두 사람 모두를 증오할 만한 무언가를 여기에 있는 「나」는 경험한 걸까?

배경도 처지도 나와 동떨어진 느낌이라서 솔직히 상상을 못 하겠다.

'……그런데도.'

어라? 뭔가 분위기가 바뀌었다.

아니, 무언가 내 안쪽에서 복받쳐 올라온다.

이런 느낌은 처음이야.

'어째서 죽여도 죽여도 죽여도 죽여도 아무것도 못 느끼는 거냐. 복수가 이루어졌다면, 앙갚음을 했다면. 더 충만감이 있어야 할 텐데. 어째서 나는 녀석들을 아무리 죽여도 전혀, 아무것도, 기쁨을 못 느끼나?'

으윽, 기분, 나빠!

배 속에 손을 처박아 엉망진창으로 휘젓고, 눈가리개를 한 채 빙글빙글 맴돌이를 하는 것처럼…….

안 되겠다!

지독한 구역질을 못 견디고 나는 입을 벌렸다.

아무것도 안 나온다.

그야 이것은 꿈이니까 당연히 나오는 게 없겠지.

다만 침실의 나는 분명히…….

기분은 최악이었다.

나는 구토감에 패배해서 꼴사납게 입을 벌렸는데도 녀석은 아직 용서해주지 않는다.

여전히 변함없이 나에게 최악의 기분을 떠안기고 있다.

욱신욱신 머리도 아팠다.

이러면 못 버틴다.

진짜 지옥이다.

대체 나한테 왜 이러는 거야.

'더 많이 죽이면 되는 건가? 여신도 세계도, 이곳에 살고 있는 쓰레기들도. 모조리 죽여버리면 조금이나마 기쁨을 맛볼 수 있나?'

그만둬.

네 목소리가 나를 더 많이 기분 나쁘게 한다.

가속하는 구토감을 조금이라도 억누르고 싶어서 계속 들려오는 독백이 멈추기를 기도했다.

'나는 이미 돌아갈 수 없다. 같은 편은 아무도 없다. 모두 적이다. 그렇다면 적의에는 죽음을 내려줘야 한다. 그렇게 하면 위험이 줄어드니까. 사람은 모두 죽인다. 아이는 어른이 되고, 여자는 아이를 낳지. 그렇다, 자비는 나를 죽인다. 죽임당하기 전에 모조리 버려야—.'

그만두라고오오오오!!

기분 나빠 기분 나빠!

누구라도 좋아!

이 구역질을!

미쳐버린 꿈을 없애줘!!

"미안하다, 아이야. 늙은이의 선물이 못된 장난을 조금 친 것 같구나.”

“아, 어?”

내가 마음속으로 한껏 내지른 비명을 들어서 와준 존재가 있었다.

“오랜만이라 말할 정도는 아니다만. 또 만났구나. 나의 얼굴은 기억하고 있느냐?”

“아……. 대흑천 님?”

“오냐. 기억해주니 기쁘군. 내 바로 묻겠는데 최근 들어서 묘한 꿈을 꾸었을 테지?”

“……네.”

“내용은 얼마나 기억하느냐?”

“하나같이, 또 다른 제가 누군가와 이야기를 나누고 있었습니다.”

“……흠.”

“그건, 도대체 뭔가요. 제 미래인가요? 앞으로 그 꿈들 중 뭔가가 현실이 되는 식으로요?”

“후후, 아이야. 불쑥 이상한 질문을 하는구나. 이미 넌 그렇지 않다는 추측을 마쳤을 텐데.”

“저는…….”

“되었다. 늙은이의 실수임은 달라지지 않으니까 말이지. 그 꿈은 네가 떠올린 생각처럼 다른 방향으로 나아간 네 모습이란다.”

“즉 이 세계가 아닌 저의 이야기인가요.”

“……그렇기도 하고, 그렇지 않기도 하지. 자세하게 설명한들 지금은 이해하지 못할 게야. 그 정도의 인식이라면 굳이 신경 쓸 필요도 없다. 아이는 아무것도 걱정하지 말고 앞으로도 열심히 살면 된단다."

대흑천 님은 쭉 온화한 표정으로 나의 정면에 계셨다.

방금 전 암흑과, 벗어날 수 없었던 구토감, 묵직했던 두통은 전부 다 함께 사라졌다.

당연히 목소리도 같이.

아침 해까지 솟아오르진 않았어도 차차 밝아지기 시작한 이른 아침의 엷은 빛이 주위를 뒤덮고 있다.

그래서 대흑천 님의 모습도 뚜렷하게는 보이지 않았다. 조금 흐릿한 느낌이었다.

표정이나 몇몇 장식품이 보일 뿐 나머지는 희미한 모습이다.

내 얼굴도 눈물이라든가 콧물 때문에 엉망진창이었다. 그럼 밝은 곳으로 나가기는 조금 부끄러우니까 마침 잘됐나.

이런 생각을 떠올릴 수 있을 만큼은 사고가 조금 회복되었다.

"그런데 이번 욕지기는 대체 무엇이었나요."

"이번에는 너와 상당히 가까운 존재와 깊이 연결되었을 게다. 그래서「보는」것이 아닌「느끼는」사태가 일어났지. 그자의 감정을."

"그게, 감정이라고요?"

단언할 수 있다. 절대 단순한 감정이 아니었다고!

"……사람은 저마다 경험을 쌓아 다양한 생각을 품고 살아가지. 그자는 그 상황에서 감정을 고조시키고 또 고조시켰단다. 스스로는 아무것도 못 느낀다 생각하면서 말이지. 당혹감과 절망과 분노와 슬픔……. 이런저런 감정이 한 덩어리로 뭉쳐 소용돌이치더구나. 그곳에 아무 경험도 공유하지 않은 천진한 아이가 느닷없이 끼어들어서 같은 감정을 겪는다면 도저히 감당이 되지 않는 법이지. 그것이 불쾌감의 정체이니라."

대흑천 님이 마음 편안해지는 미소를 지어주셨다.

"안심하거라. 그러한 상황을 맞이할 가능성은 지금 시점에서는 매우 낮으니."

신님의 보증서인가, 되게 고맙네.

하지만…….

"감사, 합니다."

"입만 움직여서 말한들 설득력이 없구나, 아이야. 아직 납득이 안 되더냐? 아예 다른 세계의 이야기라고 치부할 수는 없겠다만, 사죄를 겸하여 조금 가르쳐주마. 잘 듣거라, 아이뿐이란다. 창조, 이 같은 행위를 이룬 미스미 마코토라는 존재는 아이뿐이란다. 요컨대 그 순간, 그 팔을 창조했던 순간에 너는 다른 세계의 모든 미스미 마코토와 다른 길을 걸어 나아가게 된 셈이지. 이제껏 꾼 꿈 따위 잊어버려도 문제없다. 오히려 어설프게 참고하려다가 끌려다니는 게 훨씬 아까울 지경이란다?"

창조?

아, 백은빛 팔을 말씀하시는 건가.

시키가 아공으로 옮겨준 녀석. 토모에가 오랜만에 흥분했었지.

하지만 그건 마력을 물질화했을 뿐 창조랑은 다르지 않나? 드워프가 무구를 만드는 연장선에 있는 행동 같은데?

"……아뇨, 그건 창조가 아니라 좀 우격다짐에 가까운 행위가 아니었을까요?"

"훗, 창조에는 우격다짐도 친절함도 없단다. 마력을 써서 세계에 존재하지 않는 것을 새롭게 만들어 낸다, 그것이 곧 창조이니라. 아이는 세계 탄생과 같은 장엄한 광경을 상상했을지도 모르겠다만, 돌멩이 하나라도 이 세계에 「새롭게 만들어 냈다」는 것은 어엿한 창조임을 알거라."

뭐지, 엄청나게 굉장한 것 같은데.

츠쿠요미 님도 창조의 힘은 특별하다고 말씀하셨잖아.

내가 했던 건 마력의 물질 변환 비슷한 행위라고 생각했었는데.

"저기, 그러면 제가 터무니없는 일을 벌였던 거예요?"

"암, 벌였지. 신조차 일부 제한된 존재밖에 행사하지 못하는 힘을 사람의 몸으로 다루었으니까 말이다. 여신도 우리가 목줄을 달아 두지 않았다면 당장 너에게 날아와서 전쟁을 벌였을 게다."

크, 큰일 날 뻔했네.

엄청나게 위험했다는 말이잖아.

"그것도 우리가 명한 활 수련과 마력의 증대가 원인 중 하나이기는 한데 말이지. 설마 이렇듯 우격다짐으로 창조의 첫걸음을 뗄 줄이야. 허허, 감탄스럽더구나. 오랜만에 피가 끓어올랐어."

……대흑천 님은 피가 끓어오르면 엄청 위험할 거라 생각합니다.

"뭐, 좋은 경향이구나. 마코토, 너는 말이다. 정에 의지하여 왕도를 나아가서는 안 된다. 이치에 의지하여 패도를 걸어서도 안 된다. 그 반대도 마찬가지. 너무 서두르지 않아도 되니 천천히 움직이거라. 천천히 움직여도 되니 매사에 고민하고, 결단하고, 네가 옳다 생각하는 일을 하거라. 스스로도 이미 깨닫지 않았을까 싶다만, 너는 본래 눈을 뜰 가망조차 없었던 골칫거리를 끌어안은 처지란다. 그것에게 휩쓸리지 말고 천천히 사람답게 앞에 나아가거라. 알겠느냐? 무작정 파괴로 도망치면 안 된다. 그런 점에서는 마족의 여아를 두고 내렸던 결단은 제법 훌륭했지. 왕의 판단이라면 불합격일 터이나 사람으로서는 나쁘지 않았어."

"……잘 생각해서 행동하겠습니다. 죄송합니다."

"이런, 설교는 아니었건만. 미안하구나. 본디 이 늙은이가 씨앗을 뿌려 끼치게 된 민폐였다. 용에 거미에, 시체인가. 이미 참으로 재미있는 수하를 얻었다만, 다음에도……."

"다음요?"

"아……. 크큭, 아차차. 안 되겠군. 아이와 이야기를 나누면 자꾸 입이 가벼워지는구나. 아무튼 더 이상 기묘한 꿈을 꾸지는 않게 조처해 두마. 잠시 일어나서 세수라도 하고 다시 쉬어라. 아침부터는 또 바빠질 테니."

"아침이요?"

"훗, 더 이상은 떠들지 않으마. 이만 가겠다, 아이야. ……언젠가 네 백은빛 팔로 나의 피나카도 막아 내주거라. 살아서 다시 만나게 될 날을 기대하도록 하마."

여운을 남기지도 않고 대흑천 님의 모습이 휙 사라졌다.

그리고 나는 침대에서 상반신을 일으켰다.

다행이다, 자던 중 구ㅇ는 안 했어.

몇 번 눈을 깜빡거렸다가 곧 세수를 하러 갔다.

시간은 아직 영시쯤.

잠을 좀 일찍 잤으니까.

「다음 종자」라든가 「아침부터 바빠진다」라든가 불길한 말도 이것저것 들었지만, 어쨌든 악몽을 막아준 분은 대흑천 님이다.

돌이켜보면 무슨 용무로 오셨던 걸까.

설마 단순히 내가 걱정돼서?

아니, 아무러면 신님이 병문안을 오진 않겠지.

……애당초 신님의 진짜 의도를 알아낼 방법도 없나.

잠이나 자자.

신님도 자라고 말씀하셨잖아.

응, 자자.

나는 머리까지 이불을 뒤집어쓰고 조용히 눈을 감았다.

달이 이끄는 이세계 여행 12

초판 1쇄 발행 2022년 9월 10일

지은이_ Kei Azumi
일러스트_ Mitsuaki Matsumoto
옮긴이_ 김성래

발행인_ 신현호
편집장_ 김승신
편집진행_ 권세라 · 최혁수 · 김경민 · 최정민
편집디자인_ 양우연
관리 · 영업_ 김민원

펴낸곳_ (주)디앤씨미디어
등록_ 2002년 4월 25일 제20-260호
주소_ 서울시 구로구 디지털로 26길 111 JnK디지털타워 503호
전화_ 02-333-2513(대표)
팩시밀리_ 02-333-2514
이메일_ lnovellove@naver.com
L노벨 공식 카페_ http://cafe.naver.com/lnovel11

ISBN 979-11-278-6547-4 04830
ISBN 979-11-278-4112-6 (세트)

값 9,500원

전생 따위로 도망칠 수 있을 줄 알았나요, 오빠? 1권

카미시로 쿄스케 지음 | 키린 카케루 일러스트 | 송재희 옮김

나를 감금했던 동생이 이 세계 어딘가에 숨어 있다—.
고등학교를 졸업하고 5년간 여동생에게 감금당했던
나는 가까스로 도망쳤다가 트럭에 치여 이세계에 전생.
악마 같은 동생으로부터 겨우 해방되었다…….
자유로운 새 세상에서의 이름은 잭.
귀족의 외동아들로, 사랑 넘치는 부모님과 상냥한 메이드 아넬리의 보살핌 속에서
행복 가득한 새로운 인생이 시작되었을 테지만.
함께 죽은 동생도 이 세계에 전생했다.
이름도 생김새도 달라진 그 녀석이 어디 숨어 있을지 모른다.
하지만 내게는 신에게 받은 세계 최강급의 힘이 있다.

이 능력으로 그 녀석을 물리치고
나는 이번에야말로 주위 사람들을 지켜 내겠다!

신은 유희에 굶주려있다. 1~2권

사자네 케이 지음 | 토모세 토이로 일러스트 | 김덕진 옮김

한가한 지고의 신들이 만든 궁극의 두뇌 게임「신들의 놀이」.
오랜 잠에서 깨어난 신이었던 소녀 레셰는 눈을 뜨자마자 이렇게 선언했다.
"이 시대에서 게임을 제일 잘하는 인간을 데려와!"
지명된 사람은「이 시대 최고의 루키」로 주목받는 소년 페이.
두 사람이 도전하는「신들의 놀이」는 난이도가 너무 높아 완전 공략한 사람은 제로.
그 이유는, 신들은 변덕쟁이에 불합리하고, 가끔은 이해할 수 없으니까.
그러나 그런 게임이기에 진심으로 즐기지 않으면 아깝다!
여기에 천재 소년과 신이었던 소녀, 그리고 동료들이 펼치는
지고한 신들과의 궁극 두뇌전이 펼쳐진다!

신과 인류의 두뇌전, 드디어 개막!